JOHN N

ARCHITECT IN V
PENSAER YNG NGHYMRU

RICHARD SUGGETT

CYNNWYS
CONTENTS

Penddelw Nash, Eglwys All Souls', Langham
Place, Llundain.
Bust of Nash, All Souls' Church, Langham Place,
London.

3

Comisiwn Brenhinol Henebion Cymru,
Plas Crug, Aberystwyth,
Dyfed, SY23 1NJ.
Ffôn: (01970) 621233 / *Ffacs*: (01970) 627701

Sefydlwyd y Comisiwn Brenhinol ym 1908 i restru Henebion Cymru a Sir Fynwy. O dan Warant Brenhinol 1992 mae ganddo'r hawl i arolygu, cofnodi, cyhoeddi a chynnal databas o safleoedd henebion, morwrol, fframweithiau a thirluniau yng Nghymru. Mae hefyd yn gyfrifol am Gofnod Henebion Cenedlaethol Cymru, sydd ar agor bob dydd i'r cyhoedd gyfeirio ato, am gyflwyno gwybodaeth archaeolegol i'r Arolwg Ordnans at ddibenion mapio, ac am gydgysylltu ffotograffiaeth archaeolegol a ffotograffiaeth o'r awyr yng Nghymru, ac am noddi Archifau Safleoedd ac Henebion rhanbarthol.

Llyfrgell Genedlaethol Cymru,
Aberystwyth, Dyfed, SY23 3BU.
Ffôn: (01970) 623816
Ffacs: (01970) 615709

Sefydlwyd Llyfrgell Genedlaethol Cymru trwy Siarter Frenhinol yn 1907. Fe'i hagorwyd ar ei safle presennol yn 1916 ond ni chwblhawyd y prif adeilad tan 1955. Codwyd adeiladau storio ychwanegol ers y cyfnod hwnnw.

Ceir tair adran guradurol o fewn y Llyfrgell, sef Llyfrau Printiedig, Llawysgrifau a Chofysgrifau, a Darluniau a Mapiau; mae hi hefyd yn gartref i'r archif sain a theledu genedlaethol i Gymru.

Deiliaid tocynnau darllen yn unig a gaiff ymgynghori â deunydd a gedwir yn y Llyfrgell. Gall personau sy'n 18 mlwydd oed neu drosodd wneud cais ffurfiol.

Clawr blaen: John Nash, tua 46 oed

Clawr ôl: Cynllun ar gyfer llaethdy yn Nanteos.

The Royal Commission on the Ancient and Historical Monuments of Wales,
Plas Crug, Aberystwyth, Dyfed, SY23 1NJ.
Telephone: (01970) 621233 / *Fax*: (01970) 627701

The Royal Commission was established in 1908 to make an inventory of the ancient and historical monuments of Wales and Monmouthshire. It is currently empowered by a Royal Warrant of 1992 to survey, record, publish and maintain a database of ancient, historical and maritime sites and structures, and landscapes in Wales. It is responsible for the National Monuments of Wales, which is open daily for public reference, for the supply of information to the Ordnance Survey for mapping purposes, for the co-ordination of archaeological aerial photography in Wales, and for the sponsorship of the regional Sites and Monuments Records.

The National Library of Wales,
Aberystwyth, Dyfed, SY23 3BU.
Telephone: (01970) 623816
Fax: (01970) 615709

The National Library of Wales was established by Royal Charter in 1907. It was opened on its present site in 1916 but the main building was not completed until 1955. Additional storage buildings have since been erected.

The Library has three curatorial departments - Printed Books, Manuscripts and Records, Pictures and Maps - and it also houses the national sound and television archive for Wales.

Only holders of readers' tickets may consult material held in the Library. Formal application may be made by persons aged 18 or over.

Front cover: *John Nash, aged about 46.*

Back cover: *Design for a dairy at Nanteos.*

CYDNABYDDIAETHAU
ACKNOWLEDGEMENTS

Prif fwriad yr astudiaeth hon yw bwrw golwg ar ddegawd "coll" bywyd proffesiynol Nash, 1785-96, a osododd y seiliau ar gyfer ei yrfa lwyddiannus wedyn. Daeth Nash i Gymru yn 1785, yn fethdalwr a ryddhawyd ac ynghanol helbulon ysgariad gyda'r rhyfeddaf. Un flwyddyn ar ddeg wedyn, dychwelodd Nash i Lundain fel pensaer medrus ac arloesol a fyddai yn y man y pwysicaf yn ei alwedigaeth fel pensaer y Tywysog-Raglaw. Yng Nghymru, cafodd Nash ddysgu ac arbrofi mewn ffordd weddol ddilyffethair a fuasai'n amhosibl pe tai wedi dewis aros yn Llundain. Mae'r astudiaeth hon yn olrhain datblygiad pensaernïol Nash mewn perthynas â'i adeiladau cyhoeddus, ei "filâu" neu blastai bychain, a'i syniadau am y cysylltiadau rhwng adeiladau a thirwedd. Cyd-ddigwyddiad â chanlyniadau pellgyrhaeddol i Nash ac i ddatblygiad pensaernïaeth y Rhaglywiaeth oedd fod ei ffoi i Gymru wedi dod ag ef i gysylltiad â phleidwyr y mudiad pictiwrésg.

Y mae'n rhaid imi ddiolch i Ysgrifennydd a Chomisiynwyr y Comisiwn Brenhinol am ganiatáu imi ddilyn fel rhan o'm gwaith astudiaeth a ddechreuodd yn anffurfiol. Bydd edmygwyr Nash yn sylweddoli fy nyled sylweddol i *The Life and Work of John Nash Architect* (1980) gan Syr John Summerson. Bu Wyn Jones, FRIBA, yn hael yn rhoi benthyg imi ei nodiadau a thraethawd ar *John Nash* (1952); cyhoeddwyd ei ddyluniadau ysbrydoliaethus o filâu Cymreig Nash yn John Nash (1966) gan Terence Davis. Yn nodweddiadol, mae Thomas Lloyd wedi darparu imi lu o nodiadau, cyfeiriadau ac awgrymiadau anhepgor. Bu Peter Laing yn garedig yn caniatáu imi atgynhyrchu'r darlun bychan o John Nash y tynnodd Ian Sherfield ffotograff ohono ar gyfer ei lyfr ar *East Cowes Castle* (1994). Cefais ddyfynnu darnau o lythyrau Uvedale Price drwy garedigrwydd Mr. Robert E. Parks, Curadur Robert H. Taylor Llawysgrifau, Llyfrgell Pierpont Morgan. Bu'r archifwyr yn Archifdai Caerfyrddin, Gwent a Henffordd yn arbennig o gymwynasgar. Derbyniais lawer o gymorth gan Edna Dale-Jones (ar Gaerfyrddin a Nash); Caroline

The principal intention of this study is to examine the "lost" decade of Nash's professional life, 1785-96, which laid the foundations for his subsequent successful career. Nash arrived in Wales in 1785, a discharged bankrupt and in the throes of a bizarre divorce. Eleven years later Nash returned to London an accomplished and innovative architect who was eventually to dominate his profession as the Prince Regent's architect. In Wales, Nash was able to learn and experiment in a relatively unconstrained way which would have been impossible had he chosen to remain in London. This study traces Nash's architectural development in relation to his public buildings, his "villas" or small country houses, and his ideas on the connections between buildings and landscape. It was a coincidence with profound consequences for Nash and for the development of Regency architecture that his flight to Wales should have brought him into contact with the champions of the picturesque movement.

I must thank the Commissioners and Secretary of the Royal Commission for allowing me to pursue professionally a study which had informal beginnings. Nash enthusiasts will recognize my substantial debt to Sir John Summerson's *The Life and Work of John Nash Architect* (1980). Wyn Jones, FRIBA, generously lent me his notes and thesis on John Nash (1952); his inspirational drawings of Nash's Welsh villas were published in Terence Davis's *John Nash* (1966). Thomas Lloyd has characteristically supplied me with a stream of indispensible notes, references and suggestions. Peter Laing kindly allowed me to reproduce the miniature of John Nash which Ian Sherfield photographed for his book on *East Cowes Castle* (1994). I have been able to cite extracts from Uvedale Price's letters through the kindness of Mr. Robert E Parks, Robert H. Taylor Curator of Autograph Manuscripts, The Pierpont Morgan Library. The archivists at Carmarthen, Gwent and Hereford Record Offices have been particularly helpful. I have received much help from Edna Dale-Jones (on Carmarthen and Nash), Caroline Kerkham (on

Kerkham (ar yr Hafod a Thomas Johnes), a chyflwynodd Peter Davis fi i adfeilion Llanfechan. Dangosodd fy nghydweithwyr ar Bwyllgor Ymgynghorol yr Hafod imi fod gan natur y pictiwrésg o hyd y gallu i ennyn trafodaeth fywiog.

Ymhlith staff y Comisiwn Brenhinol, mae A. J. Parkinson, Olwen Jenkins a G. A. Ward wedi fy nghynorthwyo'n fawr mewn gwahanol ffyrdd. Rhoddodd yr Athro Ron Brunskill, y Dr. Eurwyn Wiliam a'r Athro Ralph Griffiths eu sylwadau ar fraslun y testun. Cynlluniodd John Johnston y llyfr dwyieithog hwn â'i destun a darluniau integredig. Tynnodd Iain Wright ffotograffau filâu Nash yng Nghymru sy'n dal mewn bodolaeth: gellir ymgynghori â chanlyniadau llawn ei waith yng Nghofnod Henebion Cenedlaethol Cymru yn y Comisiwn Brenhinol. Y mae'r dyluniadau gorffenedig, gan gynnwys ail-luniad gwych o Dŷ'r Castell, gan Jane Durrant. Yn y Llyfrgell Genedlaethol yr wyf wedi gweithio'n agos ar y darluniau gyda D. Michael Francis, ac mae Huw Ceiriog Jones wedi llywio'r llyfr drwy wasg y Llyfrgell. Cyfieithodd Ann Corkett y testun Saesneg i'r Gymraeg, gan f'achub hefyd rhag nifer o lithriadau. Yn olaf, wrth gwrs, mae'n rhaid imi ddiolch i berchenogion a phreswylwyr filâu Cymreig Nash, a ganiataodd imi, yn ddieithriad, rwydd hynt i archwilio'u tai o'u selerau cromennog i'w toau brenhinbyst.

RICHARD SUGGETT

Nodyn: Ceir cyfeiriadau llawn at adeiladau Nash yn y Catalog Pensaernïol yn hytrach nag yn y troednodiadau. Defnyddir y talfyriadau canlynol yn y troednodiadau a'r Catalog Pensaernïol:

BL - Llyfrgell Brydeinig
CBHC - Comisiwn Brenhinol Henebion Cymru
CHC - Cofnod Henebion Genedlaethol Cymru: archif gyhoeddus Comisiwn Brenhinol Henebion Cymru
LlGC - Llyfrgell Genedlaethol Cymru
PML - Pierpont Morgan Library, New York
RIBA - Royal Institute of British Architects

Hafod and Thomas Johnes), and Peter Davis introduced me to the ruins of Llanfechan. My Hafod Advisory Committee colleagues showed me that the nature of the picturesque can still generate lively debate.

At the Royal Commission, A.J. Parkinson, Olwen Jenkins and G. A. Ward have helped me greatly in different ways. Professor Ron Brunskill, Dr. Eurwyn Wiliam, and Professor Ralph Griffiths commented on the draft text. John Johnston designed this bilingual book and integrated text and illustrations. Iain Wright photographed Nash's surviving Welsh villas; the full results of his work can be consulted in the National Monuments Record for Wales at the Royal Commission. The finished drawings are by Jane Durrant, including the splendid reconstruction of Castle House. At the National Library I have worked closely on the illustrations with D. Michael Francis, and Huw Ceiriog Jones has seen the book through the Library's press. Ann Corkett translated the English text into Welsh and also saved me from a number of slips. Finally, of course, I must thank the owners and occupiers of Nash's Welsh villas who, without exception, allowed me to explore their houses freely from vaulted cellars to king-post roofs.

RICHARD SUGGETT

Note: Full references to Nash's buildings are made in the Architectural Catalogue rather than in the footnotes. The following abbreviations have been used in the footnotes and Architectural Catalogue:

BL - British Library
NLW - The National Library of Wales
NMR - The National Monuments Record for Wales: the public archive of the Royal Commission on the Ancient and Historical Monuments of Wales
PML - Pierpont Morgan Library, New York
Q/S - Quarter Sessions records
RCAHM - Royal Commission on the Ancient and Historical Monuments of Wales
RIBA - Royal Institute of British Architects
R.O. - Record Office

RHAGAIR
PREFACE

Mae *John Nash: Pensaer yng Nghymru* yn ganlyniad cydweithio rhwng Llyfrgell Genedlaethol Cymru a Chomisiwn Brenhinol Henebion Cymru. Ysgrifennwyd y testun gan Richard Suggett, aelod o staff y Comisiwn Brenhinol, ac fe'i cyhoeddir i gyd-fynd ag arddangosfa ar waith Nash yng Nghymru, gan dynnu'n bennaf ar gasgliadau'r Llyfrgell Genedlaethol, a gyd-drefnwyd gan D. Michael Francis. Y mae'r llyfr yn olrhain datblygiad pensaernïol hynod Nash yng Nghymru. Disgrifir dros 40 o safleoedd yn y catalog, gan gynnwys nifer o adeiladau a briodolir i Nash am y tro cyntaf, yn arbennig Bwthyn Emlyn a Thloty Meidrim. Mae paratoi ar gyfer yr astudiaeth hon wedi dod â rhai dyluniadau pwysig i'r golwg ynghyd â thystiolaeth ddogfennol newydd yn ymwneud â chomisiynau cynnar Nash. Dylid sôn yn arbennig am y dyluniadau gan Nash ei hun a atgynhyrchir yma am y tro cyntaf: cynllun Bwthyn Emlyn a golygwedd Dolaucothi. Ychydig o ddyluniadau gan Nash y gwyddys amdanynt, a rhain yw'r cynharaf i oroesi. Gobeithir y bydd y gyfres bwysig o ddogfennau yn ymwneud ag ailwampiad Nash o ffrynt gorllewinol Eglwys Gadeiriol Tyddewi, gyda'r dyluniadau hynod gan Pugin a Repton, yn destun arddangosfa a chyhoeddiad yn y dyfodol.

John Nash: Architect in Wales is the result of collaboration between the National Library of Wales and the Royal Commission on the Ancient and Historical Monuments of Wales. The text of the book has been written by Richard Suggett, a staff member of the Royal Commission, and is published to coincide with an exhibition on the work of Nash in Wales, drawing principally on the collections of the National Library, which has been co-ordinated by D. Michael Francis. The book traces Nash's remarkable architectural development in Wales. Over 40 sites are described in the *catalogue raisonné*, including several buildings which are attributed to Nash for the first time, notably Emlyn Cottage and Meidrim Workhouse. Preparation for this study has brought to light some important drawings as well as new documentation relating to Nash's early commissions. Special mention must be made of the drawings by Nash himself which are reproduced here for the first time: the plan of Emlyn Cottage and the elevation of Dolaucothi. Few drawings by Nash are known, and these are the earliest to have survived. It is hoped that the important series of documents relating to Nash's reconstruction of the west front of St. David's Cathedral, with the remarkable drawings by Pugin and Repton, will be the subject of a future exhibition and publication.

J. BEVERLEY SMITH, Cadeirydd,
Comiswn Brenhinol Henebion Cymru.

J. BEVERLEY SMITH, Chairman,
The Royal Commission on the Ancient and Historical Monuments of Wales.

J. GWYNN WILLIAMS, Llywydd,
Llyfrgell Genedlaethol Cymru.

J. GWYNN WILLIAMS, President,
The National Library of Wales.

Ffig. 1 Caerfyrddin yn 1786 (*map ystâd y Gelli Aur*).
Fig. 1 Carmarthen in 1786 (Golden Grove estate map).

8

Agoriad: NASH A CHAERFYRDDIN
Entrance: NASH AND CARMARTHEN

Pan oedd Nash yn byw mewn tipyn o steil yng Nghastell East Cowes yn anterth ei fri fel pensaer i'r Tywysog-Raglaw byddai weithiau'n adrodd i ymwelwyr hanes ei fywyd cynnar. Byddai Nash yn adrodd sut yr oedd wedi'i brentisio i Syr Robert Taylor, y pensaer enwog, ond iddo fod yn "llanc gwyllt afreolus". Ar ôl gadael swyddfa Taylor yn Llundain (tua 1773), ymddeolodd i ystâd yr oedd wedi'i hetifeddu yng Nghymru lle mwynhâi incwm o ryw £150 y flwyddyn. Am ryw ddeng mlynedd cymerodd Nash ran ym mywyd moethus boneddigion y gymdogaeth nes i'w gyd-ddisgybl gynt, Samuel Pepys Cockerell, gyrraedd Caerfyrddin gyda chryn rodres fel pensaer llwyddiannus o Lundain, â chomisiwn i gynllunio plasty. Cafodd hyn effaith ddwys ar Nash a ebychodd, "Diawl a'm dyco onid enillaf y blaen ar y cenau hwn!" Yn fuan wedyn yr oedd Nash yn ciniawa gyda Syr John Vaughan o'r Gelli Aur yr hwn a ddatganodd ei fwriad o ofyn i Cockerell gynllunio baddon newydd. Yn y man synnodd Nash y cwmni drwy ddatgan nad oedd dim angen comisiynu Cockerell oherwydd ei fod ef - Nash - "wedi'i fagu'n bensaer, ac y byddai'n cynhyrchu cynllun ar gyfer y baddon erbyn y diwrnod wedyn". Wedi gweithio drwy'r nos, cyflwynodd Nash ei gynllun a edmygwyd yn fawr ac fe'i perswadiwyd gan Vaughan i aros a pharatoi'r dyluniadau gweithio a rhoi'r cynllun ar droed. Cytunodd Nash ar yr amod y byddai'n "llafur cariad" heb dâl. Er hyn, pan ddychwelodd Nash adref darganfu fod Vaughan wedi cuddio pecyn o gin̈iau yn ei fag teithio. Hwn fu tâl proffesiynol cyntaf Nash, ond o fewn blwyddyn yr oedd yn ennill £500 y flwyddyn fel pensaer.[1]

Y mae Syr John Summerson wedi dangos ei bod hi'n anodd cysoni'r hanes hwn â'r hyn y gellir ei ddarganfod yn annibynnol am fywyd cynnar Nash. Yr oedd Nash yn ail-wampio ei hunangofiant, yn cuddio rhai ffeithiau a ffugio neu gamliwio digwyddiadau eraill, gan roi argraff dyn o fodd cymedrol ond annibynnol a oedd, bron yn ddi-ymdrech, wedi ail-ddarganfod ei ddoniau ar ôl

When Nash was living in some style at East Cowes Castle at the height of his reputation as architect to the Prince Regent, he sometimes gave visitors an account of his early life. Nash would relate how he had been apprenticed to Sir Robert Taylor, the eminent architect, but was a "wild irregular youth". After leaving Taylor's London office (about 1773), he retired to an inherited estate in Wales where he enjoyed an income of about £150 a year. For some ten years Nash shared the indulgent life of the neighbouring gentry until his former fellow pupil, Samuel Pepys Cockerell, entered Carmarthen in the grand manner as a successful London architect, having been commissioned to design a great house. This had a profound effect on Nash who exclaimed, "I'll be damn'd if I do not get before this fellow yet!" Shortly afterwards, Nash was dining with Sir John Vaughan of Golden Grove who announced his intention of asking Cockerell to design a new bath. Nash then declared to the astonished party that there was no need to commission Cockerell since he - Nash - had been "bred an architect" and would design the bath by the following day. Having worked through the night, Nash produced his design which was much admired and Vaughan persuaded him to stay, prepare the working drawings, and set the project forward. Nash consented on condition that it would be a "love job" without payment. Nevertheless, when Nash returned home he discovered that Vaughan had slipped into his portmanteau a rouleau of guineas. This was Nash's first professional payment but within a year he was earning £500 a year as an architect.[1]

Sir John Summerson has shown that this account is difficult to reconcile with what can be discovered independently about Nash's early life. Nash was reinventing his biography, suppressing certain facts and fabricating or distorting other events, giving the impression of a man of moderate but independent means who had rather effortlessly rediscovered his gifts after an early architectural training. Nash's actual biography was in fact more

hyfforddiant pensaernïol cynnar. Mewn gwirionedd, yr oedd gwir hanes Nash yn fwy diddorol. Mewn gwirionedd treuliodd Nash lawer o'r cyfnod pan dybiwyd ei fod yng Nghymru, yn Llundain yn y fasnach adeiladu, gan ddiweddu'n broffesiynol yn fethdalwr ac yn bersonol mewn ysgariad braidd yn od.

Ymddengys y manylion canlynol am ei fywyd yn weddol sicr. Ganwyd Nash yn 1752, yn Llundain yn fwy na thebyg, i deulu o grefftwyr a pheirianwyr medrus â chysylltiadau Cymreig. Dywedir mai saer melinau yn Lambeth oedd ei dad, ond erys manylion pellach am deulu tad Nash i'w darganfod. Ar ochr ei fam, yr oedd Nash yn gysylltiedig â theulu o Forgannwg o'r enw Edwards a oedd hefyd wedi ymsefydlu yn Lambeth. Drwy gydol ei yrfa, yr oedd Nash â chysylltiad agos iawn â theulu'r Edwardsiaid, yn arbennig â John Edwards, Rheola, y byddai'n ei alw yn ddiweddarach "f'unig berthynas". Drwy'r Edwardsiaid yr oedd gan Nash wreiddiau yng nghalon y chwyldro diwydiannol yn ne Cymru lle buasai'r teulu "ers sawl cenhedlaeth yn enwog iawn am ei athrylith a'i fedr".[2]

Bu farw tad Nash tua 1758, ond yr oedd gan y teulu ddigon o fodd i brentisio Nash i Syr Robert Taylor yn 1766 neu 1767, lle'r oedd ei gyfoeswyr yn cynnwys S. P. Cockerell a J. Leach (a fyddai nes ymlaen yn Feistr y Rholiau). Yn swyddfa Taylor (fel y mae Summerson yn ei ddisgrifio) byddai Nash wedi "cael y cyfle i amsugno'r gorau mewn adeiladu, cynllunio ac addurno y gallai ymarfer pensaernïaeth Seisnig ei gynnig".[3] Ar ôl ei brentisiaeth, yn 1775, ymbriododd Nash drwy drwydded â Jane Elizabeth Kerr, merch llawfeddyg o Surrey; ymhlith y tystion oedd Abraham Ewings, partner busnes, a William Blackburn, a fyddai'n ddiweddarach yn bensaer carchardai. Ar ôl priodi, trigodd John a Jane Nash yn nhŷ Abraham Ewings yn Newington, ond erbyn diwedd 1775 yr oeddent wedi dychwelyd i Lambeth lle buont yn byw am ddwy flynedd neu dair yn Royal Row.[4]

Ffynnai Nash ym merw bywyd masnachol Lambeth yn niwedd y ddeunawfed ganrif a wnaeth argraff fawr ar ymwelwyr: yr oedd bragdai enfawr gyda cherwyni "o wlad y cewri", ierdydd coed anferth, ynghyd â gwaith cerrig artiffisial Mrs. Coade.[5] Mae dogfenni sydd newydd eu darganfod

interesting. Much of Nash's supposed Welsh period had really been spent in the London building trade and had ended professionally in bankruptcy and personally in a bizarre divorce.

The following biographical details seem reasonably well established. Nash was born in 1752, probably in London, to a family of skilled artisans and engineers with Welsh connections. His father is said to have been a Lambeth millwright but further details of Nash's paternal family have yet to be discovered. On his mother's side, Nash was connected with a family from Glamorgan named Edwards which had also settled in Lambeth. Throughout his career Nash was closely involved with the Edwards family, particularly with John Edwards of Rheola whom he was to call "my only relative". Through the Edwardses, Nash had roots in the heart of the industrial revolution in south Wales where the family had "for several generations been greatly distinguished for their genius and skill".[2]

Nash's father died about 1758, but the family had the means to apprentice Nash to Sir Robert Taylor in 1766 or 1767, where his contemporaries included S.P.Cockerell and J.Leach (a future Master of the Rolls). In Taylor's office (as Summerson describes) Nash would have "had the opportunity of absorbing the best in construction, design and decoration that the English practice of architecture could offer".[3] After his apprenticeship, in 1775 Nash married by licence Jane Elizabeth Kerr, the daughter of a Surrey surgeon; among the witnesses were Abraham Ewings, a business partner, and William Blackburn, the future prison architect. After marriage, John and Jane Nash lived at Abraham Ewings's house in Newington, but by the end of 1775 they had returned to Lambeth where they lived for two or three years in Royal Row.[4]

Nash thrived in the bustling commercial life of late eighteenth-century Lambeth which so impressed visitors: there were huge breweries with vats of "Brobdignagian" proportions, vast timber-yards, as well as Mrs. Coade's artificial stone manufactory.[5] Newly discovered documentation suggests that Nash built up a business as a surveyor, builder and carpenter which gave him an income of at least £300 a year, and probably more. By 1782

yn awgrymu i Nash adeiladu busnes fel tirfesurydd, adeiladwr a saer a roddai iddo incwm o £300 y flwyddyn o leiaf onid rhagor. Erbyn 1782 yr oedd Nash yn dirfesurydd i fragdy a iard finegr fawr yn Lambeth, yn eiddo i ryw Mr. Fasset, ac yr oedd mewn partneriaeth â Richard Heaviside, ymgymerwr cefnog a Saer i Fwrdd yr Ordnans.[6] Yr oedd Nash yn amlwg yn uchelgeisiol ond mae'n ymddangos iddo ei or-ymestyn ei hun. Aeth menter adeiladu yn Bloomsbury yn llanast. Llwyddwyd i adeiladu bloc cornel o dai stwco - argoel o'r dyfodol - ond yr oeddent yn anodd eu gosod. Caeodd credydwyr Nash amdano ac yn 1783 fe'i cyhoeddwyd yn fethdalwr. Clywir amdano nesaf yng Nghaerfyrddin.[7]

NASH A'I YSGARIAD

Y mae sefyllfa deuluol Nash yn y cyfnod hwn yr un mor ddiddorol â'i fywyd proffesiynol.[8] Yr oedd John a Jane Nash wedi cyd-fyw am dair blynedd tan fis Mehefin 1778 pan oedd Nash "drwy ymddygiad gwael ei wraig yn ei chael hi'n angenrheidiol i'w hanfon i Gymru er mwyn ei diwygio."

Beth oedd wedi arwain at hyn? Yn nes ymlaen, yn achos ei ysgariad honnodd Nash nifer o bethau yn erbyn Jane. Yn gyntaf, bod Jane Nash "wedi gwthio dau blentyn arno fel plant iddo ef ac iddi hithau, er gwaethaf y ffaith nad oedd hi erioed bryd hynny wedi geni unrhyw blentyn". Ac yn ail, fod Jane wedi mynd i ddyledion yn afradlon heb wybod i'w gŵr, gan gynnwys biliau am £300 am hetiau, yr oedd ef wedi gorfod eu talu.

Yr oedd yr honiad cyntaf yn un hynod. Mae'n ymddangos i Jane Nash, am ba reswm bynnag, gael hyd i ddau blentyn a'u smyglo i mewn i'r tŷ, gan gymryd arni mai ei phlant hi oeddent. Adroddwyd yr achos hwn o gipio (neu brynu) babanod yn y wasg: "Mrs Nash oedd y wraig yr adroddwyd stori anghyffredin iawn amdani yn y papurau newydd. Byddai'n twyllo ei gŵr drwy ffugio beichiogrwydd, a hyd yn oed brynu plant a'u magu fel ei phlant ei hun, er mwyn parhau'r twyll."[9] Fel mewn achosion o gipio babanod heddiw, gallai hyn fod wedi bod yn ymdrech gan Jane Nash i achub priodas a oedd eisoes yn methu.

Nash was surveyor to a large Lambeth brewhouse and vinegar yard owned by a Mr. Fasset and was in partnership with Richard Heaviside, a prosperous contractor and Carpenter to the Board of Ordnance.[6] Nash was clearly ambitious but seems to have overreached himself. A building speculation in Bloomsbury went disastrously wrong. A corner block of stuccoed houses - a pointer to the future - was successfully built but proved difficult to let. Nash's creditors closed in and he was declared bankrupt in 1783. Nash is next heard of in Carmarthen.[7]

NASH AND DIVORCE

Nash's family circumstances at this period are as interesting as his professional life.[8] John and Jane Nash lived together for three years until June 1778 when Nash "by the ill conduct of his wife found it necessary to send her to Wales in order to work a reformation on her".

What prompted this? Nash made several allegations against Jane in his subsequent action for divorce. First, that Jane Nash "had imposed two spurious children on him as his and her own, notwithstanding she had then never had any child". And, secondly, that Jane had extravagantly contracted many debts unknown to her husband, including milliners' bills of £300, which he had been obliged to pay.

The first allegation was remarkable. Jane Nash, for whatever reason, had apparently procured and smuggled two infants into the house, pretending that they were hers. This early case of baby-snatching (or baby-purchase) was reported in the press: "Mrs. Nash was the dame, of whom a very extraordinary tale was not long ago related in the newspapers. She used to impose upon her husband with a simulation of pregnancy, and actually bought children whom she brought up as her own, to carry on the imposture."[9] As in contemporary cases of baby-snatching, this may have been an attempt by Jane Nash to save an already failing marriage.

In June 1778 Nash packed his wife off to board and lodge with a first cousin (Ann Morgan) at Aberavon, where there would be less opportunity for extravagance. Nevertheless, Jane Nash cut quite

Ym mis Mehefin 1778 anfonodd Nash ei wraig i letya gyda chyfnither (Ann Morgan) yn Aberafan lle byddai llai o gyfle iddi wario'n ofer. Er hyn creodd Jane Nash dipyn o argraff yn Aberafan lle'r oedd ei dillad hi "yn rhagori ar ei chymdogion i gyd". Gofynnodd Nash i Charles Charles, cyfaill er ei blentyndod, a oedd erbyn hyn yn gweithio fel clerc yn yr iard lo yng Nghastell Nedd, gymryd diddordeb yn Jane a dangos iddi "bleserau'r wlad". Digwyddodd yr anochel. Nododd trigolion y tŷ yn Aberafan yr agosrwydd cynyddol rhwng Jane Nash a Charles Charles a bu'n dyst i "anweddusterau" rhyngddynt yn y tŷ (lle'r oedd Charles hefyd weithiau'n lletya erbyn hyn), a ddaeth casglwr cocos ar draws y pâr yn caru ar draeth Aberafan. Ymwelodd Nash ag Aberafan adeg y Nadolig 1778 ond dychwelodd i Lundain ar ei ben ei hun. Ym mis Mehefin 1779 ymunodd Jane â Nash eto ond nid oedd y cymodi'n llwyddiant. Yr oedd Jane yn ymddwyn mor afradlon ar ôl ei halltudiaeth ddarbodus yn Aberafan fel i Nash "er mwyn ei ddiogelwch ei hun ac i osgoi cael ei ddistrywio'n llwyr" ei hanfon hi'n ôl i Gymru i aros gyda Thomas Edwards, cefnder iddo, yng Nghastell Nedd. Erbyn hyn buasai Jane yn feichiog ers chwe neu saith mis a phan ganwyd y plentyn ychydig ar ôl y Nadolig cydnabu hi mai Charles Charles oedd y tad.

Y mae'n ymddangos i Nash adael y fam a'r plentyn, ac yn 1781 cychwynnodd achos yn erbyn Jane yn Llys Consistori Llundain i gael ymwahaniad ar sail godineb, ac erlynodd Charles Charles o flaen Mainc y Brenin am gyfathrach droseddol. Cynhaliwyd yr achos yn Henffordd yn 1782; cafodd Nash ddyfarniad yn erbyn Charles o £76, a fu farw yn y carchar, yn methu talu'r iawndal a'r costau. Nifer o flynyddoedd wedyn, ym mis Ionawr 1787, cafodd Nash ddyfarniad terfynol o ysgariad oddi wrth Jane yn y llys eglwysig.

Nid oedd cyfreitha ysgariad Nash drosodd eto. Yr oedd yr achosion ynghylch cyfathrach droseddol ac ymwahaniad cyfreithiol yn rhagbaratoadau angenrheidiol i'r cam anarferol iawn o ddeisebu Tŷ'r Arglwyddi i gael mesur ysgariad preifat. Cyflwynwyd mesur ysgariad Nash ym mis Chwefror 1787 a darllenwyd ef am yr ail dro ar 20 Mawrth pan fu ei dystion o Forgannwg yn bresennol. Ond ni lwyddwyd i ddarbwyllo'r

a figure at Aberavon where her clothes "excelled all her neighbours'". Nash asked Charles Charles, a friend since childhood who now worked as a clerk in the coalyard at Neath, to take an interest in Jane and show her "the pleasures of the country". The inevitable took place. The household at Aberavon observed the growing intimacy between Jane Nash and Charles Charles and witnessed "indecent familiarities" between them in the house (where Charles also sometimes lodged), and a cockle-gatherer surprised the couple making love on Aberavon beach. Nash visited Aberavon at Christmas but returned to London alone. In June 1779 Jane rejoined Nash but the reconciliation was not a success. Jane behaved so extravagently after her frugal exile in Aberavon that Nash "for his own safety and to prevent his being totally ruined" sent her back to Wales to stay with Thomas Edwards, another cousin, in Neath. By this time, Jane had been pregnant for six or seven months, and when the baby was born just after Christmas she acknowledged that Charles Charles was the father.

Nash seems to have abandoned mother and child, and in 1781 began an action against Jane in the Consistory Court of London for separation on the grounds of adultery, and he prosecuted Charles Charles in the King's Bench for criminal conversation. The case was tried at Hereford in 1782. Nash obtained judgment against Charles who, unable to pay the costs and damages of £76, subsequently died in prison. Several years later, in January 1787, Nash obtained a definitive sentence of divorce from Jane in the ecclesiastical court.

Nash's divorce litigation was not yet over. The actions for criminal conversation and judicial separation were necessary preliminaries to the highly unusual step of petitioning the House of Lords for a private bill of divorce. Nash's divorce bill was introduced in February 1787 and received its second reading on 20 March, when his witnesses from Glamorgan attended. But the Lords were unconvinced that Nash had been entirely ignorant of the affair between Charles Charles and Jane Nash, and, suspecting connivance, rejected the bill. Nothing more is heard of Jane Nash and her daughter who subsisted on maintenance of £10 quarterly granted by Doctors' Commons.[10]

Arglwyddi fod Nash yn gwbl anwybodus o'r garwriaeth rhwng Charles Charles a Jane Nash a gwrthodwyd y mesur gan iddynt amau cyd-dwyll. Ni chlywir dim rhagor am Jane Nash a'i merch a fu fyw ar gynhaliaeth o £10 y chwarter a ddyfarnwyd gan y Rheithgoleg.[10]

Gorfodir rhywun i ofyn pam y bu Nash yn ystyried y cam anarferol a drud o gael ysgariad Seneddol. Efallai fod y gweithrediadau yn apelio at ei ymdeimlad â'r theatraidd. Ond, yn fwy ymarferol, byddai ysgariad Seneddol nid yn unig wedi caniatáu i Nash ail-briodi, ond hefyd iddo ddietifeddu baban Jane, gan atal felly "blentyn twyll a wthiwyd arno rhag etifeddu ei ystâd a'i ffortiwn". Erbyn hyn yr oedd Nash yn byw yng Nghaerfyrddin ac, mae'n glir, yn dechrau teimlo'n hyderus am ei ragolygon.

CAERFYRDDIN

Yr oedd Nash wedi cyrraedd Caerfyrddin yn fethdalwr wedi'i rhyddhau ac ynghanol ysgariad hir a rhyfedd. Wrth gwrs yr oedd gan Nash gysylltiadau teuluol yng Nghymru, ond yr oedd y rhain ym Morgannwg. Yr hyn a ddaeth â Nash i Gaerfyrddin fu hysbyseb fach yn yr *Hereford Journal* ar 17 Mawrth 1785 yn gwahodd cynigion i wneud to newydd i eglwys y plwyf. Y mae'n bosobl fod Nash yn gyfarwydd â Chaerfyrddin ac, yn brentis ifanc, wedi gweithio ar neuadd y dref gan Robert Taylor (1770-74).[11]

Cyflwynodd Nash, a phartner iddo, Samuel Simon Saxon, gynlluniau ac amcangyfrif o 600 gini a gymeradwywyd gan y festri ym mis Mai ar ôl iddynt gael eu harchwilio gan seiri coed lleol a gawsai eu gwala arferol o gwrw. Mae'n eglur o'r cytundeb a'r manyleb (a ddarganfuwyd yn ddiweddar) mai Nash a Saxon a gytunodd i wneud y gwaith. Cwblhawyd y to yn llwyddiannus er nad yw'n debyg i'r amcangyfrif adael lle i lawer o elw. Dychrynodd hynafiaethwyr a ymwelodd â'r lle wrth ddarganfod bod y gweithwyr wedi "malu'n yfflon mân" sawl cofeb alabastr gain yn yr eglwys er mwyn gwneud plastr i gornis y nenfwd newydd.[12]

Yr oedd Caerfyrddin yn dref sirol ffyniannus a phenderfynodd Nash aros yno, tra'n cadw un troed

One has to ask why Nash contemplated the unusual and expensive step of obtaining a parliamentary divorce. The proceedings may perhaps have appealed to Nash's sense of the theatrical. But, more practically, a parliamentary divorce would not only have allowed Nash to remarry, but also enabled him to disinherit Jane's baby, thereby preventing "a spurious issue imposed on him to succeed to his estate and fortune". By this time Nash was living in Carmarthen and, clearly, was beginning to feel confident about his prospects.

CARMARTHEN

Nash had arrived in Carmarthen a discharged bankrupt and in the throes of a protracted and bizarre divorce. He had of course family connections in Wales, but these lay in Glamorgan. What brought Nash to Carmarthen was a small advertisement in the *Hereford Journal* on 17 March 1785 inviting tenders for making a new roof for the parish church. It is just possible that Nash already knew Carmarthen and, as a young apprentice, had worked in the town on Sir Robert Taylor's guildhall (1770-74).[11]

Nash and a partner, Samuel Simon Saxon, submitted plans and an estimate of 600 guineas which were approved by the vestry in May after scrutiny by local carpenters who had been provided with the customary ale. It is clear from the agreement and specification (which was rediscovered recently) that Nash and Saxon contracted to perform the work. The roof was completed successfully although the estimate probably did not leave room for much profit. Visiting antiquaries were appalled to find that Nash's workmen had "absolutely beaten to pieces" several fine alabaster monuments in the church to provide plaster for the new ceiling cornice.[12]

Carmarthen was a prosperous county town and Nash, while retaining a link with London, decided to stay, prompted it seems by the prospect of further improvement work in the town. A plan by Nash and Saxon for a new house of correction in Carmarthen was approved by the magistrates in October 1786 but the scheme was not to be implemented for several years. Nash appears to have set up in business as a building contractor, still

yn Llundain, wedi'i annog, mae'n debyg, gan obaith cael gwaith gwella pellach yn y dref. Cymeradwywyd cynllun gan Nash a Saxon ar gyfer cospty newydd yng Nghaerfyrddin gan yr ynadon heddwch ym mis Hydref 1786 ond ni weithredwyd y cynllun am nifer o flynyddoedd. Ymddengys i Nash ymsefydlu fel ymgymerwr adeiladu, eto mewn partneriaeth â Saxon, ac mae rhai o'u trafodaethau wedi gadael olion yng nghofnod hanes. Ceir mai ardal goediog yn Nhaliaris yr oedd ef a Saxon yn dal les arni oedd "ystâd" Nash ger Caerfyrddin - menter yr ymddengys iddi golli arian. Yn 1786 cawsant hwy, ymhlith llawer o fasnachwyr lleol eraill, dâl am ddarparu defnyddiau ar gyfer y dathliadau yn y dref i nodi penblwydd etifedd ystâd Dinefwr yn un ar hugain oed. "I Nash a Saxon am nwyddau a ddanfonwyd ar gyfer rhostio'r ych" - 60 cyfor o forter am £1. 12s. a dwy styllen am 2 swllt. Yn gynharach y flwyddyn honno talwyd £10. 6s. i John Nash, gwerthwr coed, gan ystâd y Gelli Aur am ddanfon coed i Westmead (Sir Benfro). Yn 1787 rhoddodd y Gorfforaeth les un flwyddyn ar hugain ar dir gyda odyn galch ger yr afon am rent blynyddol o bum swllt.[13]

Awgryma'r dogfenni sy'n ymwneud â Nash yn y cyfnod hwn iddo fod yn bennaf yn ymgymerwr a darparwr defnyddiau adeiladu yn hytrach nag yn bensaer. Sut bynnag, ym mis Rhagfyr 1788, ryw dair blynedd a hanner ar ôl iddo ddod i Gaerfyrddin, mae cofnod o gryn bwysigrwydd yn llyfr cyfrifon John Vaughan, y Gelli Aur: "Rhoddais £10. 10s. i Mr Nash am gynllun ac amcangyfrif baddon oer".[14] Dyma wraidd hanes Nash am ei daliad proffesiynol cyntaf, y byddai'n ei adrodd ymhen llawer o flynyddoedd yng Nghastell East Cowes. Nid ystafell ymolchi oedd y baddon oer, a phrin bod y tâl yn rholyn o ginïau. Bu pensaer enwog o Lundain yn ymwneud â'r stori, mae'n wir, er nad Cockerell oedd: yr oedd Vaughan hefyd wedi comisiynu cynllun gan Robert Adam.[15] Sut bynnag, nid adeiladwyd y baddon oer erioed ond yr oedd y comisiwn yn amlwg yn bwysig i Nash ac, wrth edrych yn ôl, mae'n ymddangos iddo nodi ei newid o ymgymerwr adeiladu a thirfesurydd i bensaer. O hyn ymlaen, daeth Mr. Nash o Gaerfyrddin, y pensaer, yn ffigwr mwyfwy adnabyddus a ffyniannus gydag ysgariad a methdaliad wedi'u

in partnership with Saxon, and some of their transactions have left a trace in the historical record. Nash's "estate" near Carmarthen turns out to have been a tract of woodland at Taliaris which he and Saxon leased - a venture which apparently lost money. In 1786 they were paid, among many other local tradesmen, for supplying materials for the celebrations in the town marking the coming of age of the heir to the Dynevor estate: "To Nash & Saxon for goods delivered for roasting the ox", 60 strikes of mortar at £1.12s. and two planks at 2s. Earlier that year John Nash, styled timber-merchant, had been paid £10.6s.9d. by the Golden Grove estate for delivering timber to Westmead (Pembrokeshire). In 1787 the Corporation granted Nash a twenty-one-year lease of ground with a lime-kiln near the river at a yearly rent of five shillings.[13]

The documentation relating to Nash at this period suggests that he was primarily a contractor and supplier of building materials rather than an architect. However, in December 1788, some three and a half years after his arrival in Carmarthen, an entry of some significance occurs in the account book of John Vaughan of Golden Grove: "Gave Mr Nash £10.10s. for a plan & estimate of a cold bath".[14] Here lies the origin of Nash's story about his first professional payment that he was to tell many years later in East Cowes Castle. The cold bath was not a bathroom and the payment was hardly a roll of guineas. An eminent London architect was indeed involved, though it was not Cockerell: Vaughan had also commissioned a design from Robert Adam.[15] In the event the cold bath probably was never built but the commission was clearly significant for Nash and, retrospectively, seems to have marked his transition from building contractor and surveyor to architect. Henceforward, Mr. Nash of Carmarthen, architect, became an increasingly well-known and prosperous figure with divorce and bankruptcy put behind him and largely forgotten.

With the patronage of Vaughan and the neighbouring gentry, Nash began to build up his architectural practice. He employed two notable draughtsmen in the 1790s: Auguste Charles Pugin, a French émigré whom he probably encountered as a scene-painter on the south Wales theatre circuit, and, later, John Adey Repton, son of Humphry

Ffig. 2   Stryd Spilman, Caerfyrddin, gan edrych tuag Eglwys Pedr Sant *(A. C. Pugin, 1804).*
Fig. 2   Spilman Street, Carmarthen, looking towards St. Peter's Church (A. C. Pugin, 1804).

rhoi'r tu ôl iddo a mwy neu lai wedi'u hanghofio.

Gyda nawdd Vaughan a boneddigion yr ardal, dechreuodd Nash adeiladu ei fusnes pensaernïol. Cyflogodd ddau ddyluniwr o bwys yn y 1790au: Auguste Charles Pugin, ffoadur o Ffrainc, y mae'n debyg iddo ddod ar ei draws fel paentiwr golygfeydd yn theatrau de Cymru, ac, wedyn, John Adey Repton, mab Humphry Repton, y tirluniwr gerddi. Cyflogwyd y ddau i wneud "dyluniadau persbectif o adeiladau Gothig yr oedd Nash yn eu hadeiladu yng Nghymru bryd hynny". Y mae eu dyluniadau cain, yn dangos newidiadau Nash i Eglwys Tyddewi wedi goroesi; gall fod golygwedd liw o fwthyn Gothig y bwriadwyd ar gyfer y cwsmer yn eiddo Pugin hefyd. Bu Nash hefyd yn cyflogi clerc, Robert George, a sefydlodd ei fusnes ei hun fel pensaer yn 1796. Arhosodd ei olynydd, James Morgan, gyda Nash am weddill ei yrfa.[16]

Priodolodd William Spurrell, hanesydd Fictoriaidd Caerfyrddin, i Nash gasgliad annhebygol o adeiladau yn y dref, gan gynnwys Tafarn y Six Bells lle dywedwyd (mewn fersiwn o

Repton, the landscape gardener. Both were employed making "perspective drawings of Gothic buildings Nash was then building in Wales". Their fine drawings of Nash's alterations to St. Davids Cathedral survive; a watercolour elevation of a Gothic cottage, intended for a client, may be Pugin's work. Nash also employed a clerk, Robert George, who set up on his own account as an architect in 1796. His successor, James Morgan, stayed with Nash for the remainder of his career.[16]

William Spurrell, the Victorian historian of Carmarthen, attributed to Nash an unlikely group of buildings in the town, including the Six Bells Inn where, it was said (in a version of the well-known story told against architects), he had forgotten the stairs. A thorough analysis of the parish ratebooks has established that Nash latterly lived in Spilman Street, one of the principal streets in the town, probably where the Ivy Bush Royal Hotel now stands; remarkably, a sketch of Spilman Street by Pugin survives, though it is dated 1804. In 1796 Nash was rated for three properties: a house in the

stori adnabyddus a ddywedir yn erbyn penseiri) iddo anghofio'r grisiau. Y mae dadansoddiad manwl o lyfrau trethi'r plwyf wedi profi i Nash fyw yn nes ymlaen yn Stryd Spilman, un o brif strydoedd y dref, mwy na thebyg ar y safle lle mae Gwesty'r Llwyn Iorwg erbyn hyn; mae'n rhyfedd i fraslun o Stryd Spilman gan Pugin oroesi, er mai 1804 yw'r dyddiad arno. Yn 1796 trethwyd Nash ar gyfrif tri eiddo: tŷ yn "Y Gwyllt" (yn y "Wilderness") (gyda'r enw Great House), ei dŷ annedd a Chwaraedy gerllaw.[17] Mae'n ddadlennol iawn, onid yw, fod Nash yn rhentu neu'n berchen y theatr. Yno, mae'n glir, gallai Nash foddio ei bersonaliaeth theatraidd onid hunanddangosiadol. Yn 1796 chwaraeodd Nash ran ynghyd â dau amatur arall o fonheddwyr yn "School for Scandal" Sheridan, gyda chwaraewyr proffesiynol Masterman.[18] Bu'n hoff o'r theatr amatur ar hyd ei oes, ond yr oedd y theatr hefyd yn ddefnyddiol yn gymdeithasol fel lle y gallai gwŷr proffesiynol ac uchelwyr gwrdd ar delerau mwy neu lai cyfartal.

Y mae'n ymddangos na fu Nash yn hir cyn ymlynu wrth garfan y Chwigiaid a oedd yn llywodraethu yn y dref o dan arweiniad yr Aelod Seneddol a chefnogwr Fox, John George Philllips, Cwmgwili. Y mae sawl cyfeiriad at Nash yn yr hyn o ohebiaeth Phillips sydd wedi goroesi. Y mae'r dôn yn symud o gyfeiriad cynnar a nawddoglyd at ysgariad Nash, i barch at ei alluoedd proffesiynol parthed carchar y dref, ac erbyn y diwedd mae yn yr ohebiaeth agosatrwydd a chyfeillgarwch a barhaodd ymhell ar ôl i Nash adael Caerfyrddin.[19] Y mae'n ymddangos bod gwahaniaeth barn ynglŷn â Nash a oedd yn amlwg yn cyffroi teimladau cryf, naill ai o hoffter neu o gasineb. "Dyn bach haerllug, hy a hyll", cofnododd rhyw Miss Butt yn ei Dyddiadur yn 1795.

Yn gorfforol yr oedd Nash braidd yn anatyniadol ond gallai fod yn swynol a llawn perswâd, ac yr oedd yn deyrngar i'w gyfeillion. Flynyddoedd wedyn, byddai Pugin yn adrodd hanesion am wydnwch a dyfalbarhad Nash er mwyn calonogi ei ddisgyblion.[20] Ond gallai Nash hefyd fod yn anodd i'w ddal, yn gyndyn am ei hawliau, ac yr oedd enw ganddo am fod yn dipyn o aderyn. Bu Herbert Lloyd, Caerfyrddin, atwrnai dylanwadol a chlerc yr ynadon, yn breifat yn rhybuddio cwsmer

"Wilderness" (called Great House), his dwelling house and an adjacent Playhouse.[17] It is surely very revealing that he rented or owned the theatre. Nash was clearly able to indulge his theatrical if not exhibitionist personality. In 1796 Nash with two other gentlemen amateurs played in Sheridan's "The School for Scandal" alongside Masterman's professional players.[18] Nash had a life-long taste for amateur dramatics, but the theatre was also socially useful as a place where the professional and gentry classes could meet on something like equal terms.

Nash seems to have attached himself quite early to the dominant Whig faction in the town led by the Foxite M.P., John George Phillips of Cwmgwili. There are several references to Nash in Phillips's surviving correspondence. The tone moves from an early and patronising aside about Nash's divorce, to respect for his professional abilities in relation to the town gaol, and finally to an intimacy and friendship which survived long after Nash had left Carmarthen.[19] Opinions seem to have been divided about Nash, who evidently aroused strong likes and dislikes. "The little man [was] pert, impudent and ugly" recorded a Miss Butt in her diary in 1795. Physically Nash was rather unprepossessing but he could be charming and persuasive, and he was loyal to his friends. Pugin in later years, to encourage his pupils, would tell stories about Nash's tenacity and perseverance.[20] But Nash could also be difficult and elusive, tenacious about what was due to him, and he was sometimes suspected of sharp practice. Herbert Lloyd of Carmarthen, an influential attorney and clerk of the peace, privately warned a client who contemplated building to beware of Nash and wished him a good deliverance "from all such j[obbe]rs". Herbert Lloyd was also Nash's attorney and knew more about his affairs than most. The fortunate survival of Lloyd's billbook for 1790-92 reveals the complexity of Nash's affairs, which involved a web of litigation extending from the Mayor's Court and the Court of Great Sessions to the King's Bench and Common Pleas. Some actions were connected with the local purchase of building materials, mostly timber. Other law suits related to the wreck of Nash's affairs in London; he was still pursued by creditors, including Richard Heaviside (his old partner), John Bradley (a contractor and his

a oedd yn ystyried gwaith adeiladu, iddo osgoi Nash, a dymunodd iddo waredigaeth "rhag pob hocedwr o'r fath." Yr oedd Herbert Lloyd hefyd yn atwrnai Nash, a gwyddai fwy am ei fusnes na'r rhan fwyaf. Yn ffodus mae llyfr biliau Lloyd ar gyfer 1790-92 wedi goroesi, a dadlenna pa mor gymhleth oedd materion Nash a oedd yn cynnwys gwe o gyfreitha yn ymestyn o Lys y Maer a Llys y Sesiwn Fawr at Fainc y Brenin a'r Llys Pledion Cyffredin. Yr oedd rhai achosion yn gysylltiedig â phrynu defnyddiau adeiladau, coed yn bennaf, yn lleol. Bu achosion eraill yn ymwneud â'i helbulon yn Llundain; erlidid ef o hyd gan gredydwyr, gan gynnwys Richard Heaviside (ei gyn-bartner), John Bradley (ymgymerwr a'i dad-yng-nghyfraith nes ymlaen), er bod cytundeb â William Know wedi arwain at gaffaeliad annisgwyl o dros £500.[21] Yn sicr yr oedd gan Nash duedd at gyfreitha a datganodd, yn ddadlennol, yn nes ymlaen yn ei fywyd, y byddai wedi mynd yn gyfreithiwr pe na bai wedi mynd yn bensaer.[22]

Yn y diwedd gadawodd Nash Gaerfyrddin am Lundain yn 1796 neu 1797 ar ôl ffurfio partneriaeth gyda Humphry Repton, y tirluniwr enwog. Rhoddwyd y gwaith o gwblhau rhai comisiynau i'w gyn-glerc, Robert George. Cyn gadael, daeth Nash yn fwrdais, a chynorthwyodd i ganfasio cefnogaeth i John Phillips yn etholiad 1796.[23] Crewyd cyffro mawr yn Ne-orllewin Cymru gan laniad y Ffrancwyr yn Abergwaun yn 1797 ond erbyn hyn yr oedd Nash yn ei gyfeiriad newydd yn Dover Street. Cyfeiria Syr John Summerson at Nash "yn dringo'n anweladwy i urddas a syberwyd tu hwnt i'r bonedd lleol."[24] Efallai y bu hyn yn wir; ond ar y llaw arall rhaid dweud bod llawer yn debyg o fod yn falch o weld cefn o Nash ymgyfreithgar. Y mae'n ymddangos i Nash ffraeo â'i gwsmeriaid yn yr Hafod, Dolaucothi a Llannerch Aeron. Ceisiodd Johnes o Ddolaucothi gymorth gan Herbert Lloyd, yr atwrnai, ond gwrthoddodd efe ymyrryd oherwydd ei fod ar fin arestio Nash nid yn unig ar ei gyfrif ei hun ond hefyd ar ran cwsmer arall! Erbyn hyn yr oedd Nash mewn anghydfod â holl fainc Sir Aberteifi ynghylch ei hawliadau am gomisiwn am waith cyhoeddus. Penderfynodd yr ustusiaid frwydro yn erbyn unrhyw achos a ddygid gan Nash er mwyn adennill swm mwy nag yr oeddent yn

future father-in-law), though a settlement with William Knox led to a windfall of over £500.[21] Nash certainly had a propensity for litigation and revealingly declared in later life that if he had not become an architect he would have been a lawyer.[22]

Nash finally left Carmarthen for London in 1796 or '97 after forming a partnership with Humphry Repton, the celebrated landscape gardener. The completion of some commissions was given to his former clerk, Robert George. Before leaving, Nash became a burgess, and helped canvass support for John Phillips in the 1796 election.[23] South-west Wales was thrown into a state of high excitement by the French invasion at Fishguard in 1797 but by this time Nash was at his new address in Dover Street. Sir John Summerson refers to Nash "climbing imperceptibly to a dignity and sophistication" beyond the local gentry.[24] This may have been so; but on the other hand it has to be said that many were glad to see the back of the litigious Nash. He seems to have fallen out with his clients at Hafod, Dolaucothi and Llanaeron. Johnes of Dolaucothi sought help from Herbert Lloyd, the attorney, but he declined to intervene on the grounds that he was preparing to arrest Nash not only on his own account but also on behalf of another client! By this time Nash was in dispute with the entire Cardiganshire bench over his claims for fees for public building work. The justices resolved to defend any action brought by Nash for the recovery of a sum greater than they were prepared to pay. The Cardiganshire Quarter Sessions minute book records an extraordinary scene in 1798: the county treasurer gave £81.9s.6d. to the clerk of the peace who travelled to London to tender the sum to Nash personally. There was a difficult meeting: Nash at first refused the money but eventually was persuaded to accept the sum as a final payment for his demands.[25]

This awkward occasion was for many years Nash's last professional contact with his former clients, the gentry of south-west Wales. Nevertheless, Nash seems to have retained some affection for Carmarthen and thirty years later, as "architect to the king", returned to the town where he was hailed as "our countryman". Nash's journey to Carmarthen had been necessary to distance

barod i'w dalu. Y mae llyfr cofnodion Llys Chwarter Sir Aberteifi yn cofnodi golygfa hynod yn 1798; rhoddodd trysorydd y sir £81. 9s. 6d. i glerc yr ynadon a deithiodd i Lundain i'w gynnig i Nash yn bersonol. Bu cyfarfod anodd: gwrthododd Nash yr arian yn y lle cyntaf ond o'r diwedd fe'i perswadiwyd i dderbyn y swm fel taliad terfynol am ei hawliadau.[25]

Am flynyddoedd lawer yr achlysur lletchwith hwn fu cyswllt proffesiynol olaf Nash â'i gwsmeriaid cynt, bonedd de-orllewin Cymru. Er hyn mae'n ymddangos i Nash gadw rhywfaint o hoffter o Gaerfyrddin a deng mlynedd ar hugain wedyn, fel "pensaer i'r brenin", dychwelodd i'r dref lle cyfarchwyd ef fel "ein cyd-wladwr". Bu'n rhaid wrth daith Nash i Gaerfyrddin i ymbellhau o'r ysgariad a'r methdaliad, a hebddi gallai fod wedi suddo heb adael dim o'i ôl yn Llundain ar ôl ei drychineb. Yng Nghaerfyrddin cafodd Nash gyfle i ddysgu ac arbrofi a daeth yn ôl i'r golwg ymhen deng mlynedd fel pensaer arloesol. Gellir dweud i Nash gyrraedd Caerfyrddin yn saer coed ac ymgymerwr ond iddo adael yn bensaer. Trafodir gwahanol linynnau datblygiad pensaernïol Nash yn y tudalennau sy'n dilyn mewn perthynas â phensaernïaeth gyhoeddus, y filâu, ac adeiladau a'r tirwedd.

himself from divorce and bankruptcy and without it he might have sunk without trace after his disaster in London. In Carmarthen Nash was able to learn and experiment and re-emerged ten years later as an architectural innovator. One can say that Nash arrived in Carmarthen a carpenter and contractor but left as an accomplished architect. The several strands of Nash's architectural development are discussed separately in the following pages in relation to public architecture, the villas, and buildings and the landscape.

Cyfeiriadau / References

1 *The Diary of Joseph Farington*, xvi (1984), gol./ed. K. Cave, 5744-46; John Summerson, *The Life and Work of John Nash, Architect* (1980), 4-5.

2 Summerson, *Life and Work of John Nash*, ch. 1; Pennod 6 isod /Chapter 6 below.

3 Summerson, *Life and Work of John Nash*, 3-4.

4 Greater London R.O., DL/C/179/310-11.

5 Thomas Pennant, *Of London* (1790), 30-33.

6 Greater London R.O., DL/C/179/342.

7 Summerson, *Life and Work of John Nash*, 6-9.

8 Mae'r paragraffau yn seiliedig ar ddogfennau ysgariad Nash / The following paragraphs are based on Nash's divorce litigation: Greater London R. O., *Nash v. Nash*, DL/C/179/334-45.

9 Summerson, *Life and Work of John Nash*, 11.

10 *Journals of the House of Lords*, xxxvii (1783-7), 639-41; House of Lords R.O., Main Papers, 28.ii.1787, Large Parchments 279/48-9.

11 Thomas Lloyd, *The Georgian Group Journal*, 1995.

12 *The Journeys of Sir Richard Colt Hoare*, gol./ed. M. W. Thompson (1983), 214; E. Donovan, *Descriptive Excursions through South Wales* (1805), ii, 188-90.

13 D.Whitehead, *Trans. Woolhope Naturalists' Field Club,* xlvii (1992), 211; C. Knight, *The English Cyclopaedia of Biography,* iv (1858), 431; Dyfed R.O., Dynevor 263/3, Cawdor 25/1332, MS. 134 (Corporation Minute Book), 180.

14 Carm. R.O., Cawdor (Golden Grove) MS.4425, 30.xii.1788; Francis Jones, "The Vaughans of Golden Grove IV", *Trans. Honourable Soc. of Cymmrodorion,* 1966, 201.

15 Sir John Soane's Museum, Adam Drawings, cyf./vol. 45 (42-3). Rwy'n ddyledus i Thomas Lloyd am y cyfeiriad hwn. I owe this reference to Thomas Lloyd.

16 Mrs. Mathews, *Memoirs of Charles Mathews, Comedian* (1839), 168-9; John Lewis, *The Swansea Guide* (1851), 37; Benjamin Ferrey, *Recollections of A.W.N. Pugin and his father Augustus Pugin* (1861), 2-3; NLW, Dolaucothi Correspondence V2/77; Summerson, *Life and Work of John Nash,* 25.

17 William Spurrell, *Carmarthen and its Neighbourhood* (1860), 22; Edna Dale-Jones, "John Nash: his place of Residence in Carmarthen", *The Carmarthenshire Antiquary,* xxviii (1992), 117- 19.

18 Cecil Price, *The English Theatre in Wales* (1948), 88-9.

19 Carm. R.O., Cwmgwili Letters: *Trans. Carmarthenshire Antiquarian Society,* xxv (1934), 28-30; *Carmarthen Antiquary,* iii (1959-61), 218-9, iv (1962-3), 99-100.

20 Summerson, *Life and Work of John Nash,* 17- 18; Ferrey, *Recollections of Pugin,* 10-12.

21 NLW, Dolaucothi Correspondence V13/32; R.G. Thorne, "Herbert Lloyd of Carmarthen", *Trans. Hon. Soc. of Cymmrodorion,* 1977, 111; NLW, G. E. Owen MS. 442, 7-14.

22 *Diary of Joseph Farington,* xvi, 5746.

23 Carm. R.O., Museum 51 (Book of Burgesses), 413; Carm. R.O., Plas Llanstephen 333.

24 Summerson, *Life and Work of John Nash,* 13

25 NLW, Dolaucothi Correspondence V13/87; NLW, Cards. QS/OB/4, ff. 230d, 237.

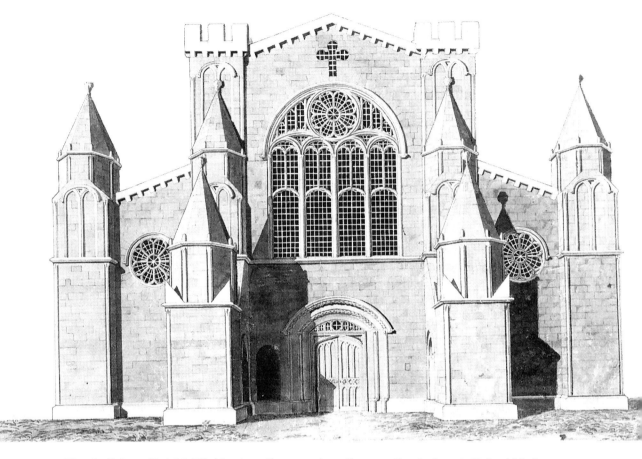

Ffig. 3   Eglwys Gadeiriol Tyddewi: cynllun ar gyfer y ffrynt gorllewinol, gyda llofnod Nash.
Fig. 3   St. Davids Cathedral: design for the west front signed by Nash.

PENSAERNIAETH GYHOEDDUS
PUBLIC ARCHITECTURE

Daeth Nash i Gaerfyrddin ac ymsefydlu yno mewn cyfnod pan oedd galw cynyddol yn y taleithiau am y pensaer proffesiynol. Nid oedd rhaid i bensaer llwyddiannus fyw yn Lundain gan fod diwygiad trefol mewn sawl ardal yn galw am fedrau'r pensaer a'r tirfesurydd ar gyfer gwella'r strydoedd a chynllunio adeiladau cyhoeddus newydd a oedd yn mynegi balchder trefol a bwriad cymdeithasol: neuaddau trefi, pontydd, carchardai ac yn y blaen.[1] Yr oedd Caerfyrddin yn enghraifft dda o dref sirol Sioraidd yn cael ei gwella. Cyn i Nash gyrraedd, adeiladwyd rhodfa a neuadd dref newydd gyda chymorth tanysgrifiadau gan y cyhoedd.[2] Yr oedd y newidiadau i Eglwys Sant Pedr a'r cynllun i ail-adeiladu carchardy'r sir yng Nghaerfyrddin yn rhan o broses eang o foderneiddio a gyrhaeddodd ei hanterth yn Neddf Wella Seneddol y dref (1792). Mae'n debygol, er na ellid ei brofi, y byddai Nash wedi cymryd rhan weithredol yn rhaglen y comisiynwyr yng Nghaerfyrddin a oedd yn cynnwys gwella'r cyflenwad dŵr i'r dref a goleuo, palmantu a lledu'r prif strydoedd.

Gallai penseiri cymwys adeiladu busnes yn y taleithiau ond byddent hefyd yn cyflwyno cynlluniau ar gyfer cystadlaethau am adeiladau trefol ymhellach oddi cartref. Yn ystod ei gyfnod yng Nghaerfyrddin adeiladodd Nash dri charchardy, tloty, gwallgofdy, a marchnad, cynllunio sawl pont, ac ail-adeiladu ffrynt gorllewinol Eglwys Gadeiriol Tyddewi. Meddiannai waith cyhoeddus yn Sir Aberteifi yn gyfangwbl a fe oedd tirfesurydd y sir mewn popeth ond enw. Y tu allan i Gymru a'r Gororau, yr oedd Nash yn ymwneud â chodi pontydd, a chyflwynodd gynllun ar gyfer neuadd sir newydd yn Stafford. Yr oedd cyflwyniad da yn hanfodol er mwyn sicrhau comisiwn cyhoeddus . Cyflwynodd Nash set o "ddyluniadau cymen" ar gyfer atgyweirio Eglwys Gadeiriol Tyddewi (1791); cyflwynwyd cynllun neuadd farchnad y Fenni gyda dyluniad lliwiedig "gyda ffigyrau"; dangosai'r cynllun arfaethedig ar gyfer Neuadd y Sir, Stafford, (1794) olygfa farchnad brysur yn arddull Rowlandson â ffigyrau gyda'r neuadd newydd yn

Nash arrived and settled in Carmarthen at a period when there was a growing provincial demand for the professional architect. A successful architect need not be based in London since urban reform in many localities required architectural and surveying skills for street improvements and for the design of new public buildings which expressed civic pride and social purpose: town halls, bridges, prisons and so on.[1] Carmarthen was a good example of a Georgian county town undergoing improvement. Before Nash arrived, a "parade" had been built and a new guildhall constructed with the assistance of public subscriptions.[2] The alterations to St. Peter's Church and the scheme for rebuilding the county gaol at Carmarthen were part of a broad process of modernization which culminated in the town's Parliamentary Improvement Act (1792). It seems likely, though it cannot be demonstrated, that Nash would have taken an active part in the commissioners' programme at Carmarthen which included improving the water supply to the town and lighting, paving and widening the principal streets.

Competent architects were able to build up a regional practice but would also submit designs for civic buildings further afield. During his Carmarthen period, Nash built three prisons, a poor-house, an asylum and a market-place, designed several bridges, and rebuilt the west front of St. Davids Cathedral. He monopolized public work in Cardiganshire and was county surveyor in all but name. Outside Wales and the Marches, Nash was involved in bridge-building and submitted a design for a new county hall at Stafford. Good presentation was essential to secure a public commission. Nash submitted a set of "fair drawings" for the restoration of St. Davids Cathedral (1791); the design for Abergavenny market-place (1793) was accompanied by a coloured drawing "with figures"; the proposed design for Stafford County Hall (1794) showed a busy market scene in the Rowlandson manner with figures dominated by the new hall. Once a design and estimates had been accepted, advertisements

tra-arglwyddiaethu ar y cyfan..

Unwaith bod cynllun ac amcangyfrifon wedi'u derbyn, gosodid hysbysebion yn y papurau newydd am ymgymerwyr a gynghorid ynghylch pa le y gellid ymgynghori â'r cynlluniau a manylebau. Yr oedd cynlluniau Eglwys Gadeiriol Tyddewi i'w gweld nid yn unig yng Nghaerfyrddin ond hefyd yn Aberhonddu a Bryste; gellid gweld cynlluniau carchardy Henffordd yn Llundain, yn nhŷ Samuel Saxon, cyn iddynt gael eu hanfon ymlaen i Henffordd; yn yr un modd, gellid archwilio cynlluniau Pont Casnewydd yn nhŷ Saxon yn San Steffan, ym Mryste ac yng Nghaerleon, yn ogystal ag yn nhŷ Nash yng Nghaerfyrddin lle'r oedd model o'r bwa a'r coed i'w gynnal hefyd. Yr oedd y taliadau am y cynlluniau a'r manylebau yn gymharol fychain. Deuai incwm mwy sylweddol o'r ffioedd am archwilio a gwarantu gwaith adeiladu, ac o'r comisiwn terfynol wedi'i ystyried fel canran y bunt o'r gost gyfan. Mae'n glir i fainc Sir Aberteifi ystyried bod teithiau mynych Nash fel pensaer archwilio yn ormodol a gorfodwyd hwy i orchymyn na ddylid talu Nash ond am deithiau a awdurdodwyd yn benodol gan yr ynadon priodol. Gallai cyfanswm yr arian cynhwysedig mewn cynllun cyhoeddus fod yn fawr ac fel arfer byddai'n fwy na'r amcangyfrifon - gan roi comisiwn mwy i'r pensaer onibai i'w hawliadau gael eu gwrthod fel a ddigwyddodd i Nash yn Sir Aberteifi. Yn swydd Henffordd yr oedd costau adeiladu'r carchardy newydd mor anarferol fel y cyhoeddwyd datganiad Nash o'r cyfrifon adeiladu yn y *Hereford Journal*. Daeth y bil terfynol i fwy na £18,000. Talwyd comisiwn o £720 i Nash ar ben £340. 4s. 0d. a gafodd am deithiau a £327. 12s. 0d. am gyflog clerc y gwaith.[3]

EGLWYS GADEIRIOL TYDDEWI

Wrth ei natur yr oedd pensaernïaeth gyhoeddus yn arddangosiad amlwg iawn o allu pensaer, ac yr oedd adfer Eglwys Gadeiriol Tyddewi yn brawf cynnar o allu Nash i ddatrys problemau peirianneg a chynllunio. Yn 1789 lansiwyd apêl er mwyn atgyweirio'r eglwys gadeiriol; addewid rhodresgar Nash i'r gronfa atgyweirio oedd 5 gini ond nis talodd byth. Yr oedd problem ddifrifol yn perthyn

were placed in the newspapers for contractors who were advised where to consult the plans and specifications. The plans for St. Davids Cathedral were available for inspection not only at Carmarthen but also at Brecon and Bristol; the plans for Hereford gaol could be seen in London, at the house of Samuel Saxon, before being forwarded to Hereford; similarly, plans of Newport Bridge could be inspected at Saxon's house in Westminster, at Bristol and Caerleon, as well as at Nash's house in Carmarthen where there was a model of the arch and its centering. The payments for the designs and specifications were relatively small. A more substantial income derived from the fees for viewing and certifying building work, and from the final commission considered as a poundage of the total cost. The Cardiganshire bench evidently considered Nash's frequent journeys as inspecting architect excessive and were driven to order that Nash should only be paid for journeys specifically authorized by the appropriate magistrates. The total sums involved in a public scheme could be large and generally exceeded the estimates - giving a larger commission to the architect unless, of course, his claims were resisted, as happened to Nash in Cardiganshire. At Herefordshire the sums involved in constructing the new gaol were so extraordinary that Nash's statement of the building accounts was printed in the *Hereford Journal*. The final bill came to over £18,000. Nash was paid a commission of £720 in addition to £340.4s.0d. received for journeys and £327.12s.0d. for the clerk of the work's salary.[3]

ST. DAVIDS CATHEDRAL

Public architecture was by its nature a very visible demonstration of an architect's competence, and the restoration of St. Davids Cathedral was an early test of Nash's ability to solve problems of engineering and design. In 1789 an appeal was launched for the restoration of the cathedral; Nash promised, but never paid, an ostentatious five guineas towards the fund. There was a severe structural problem: settlement of the Norman arcade was pushing out the west front which was leaning an alarming twelve inches from the perpendicular. By 1790 the Chapter were employing Nash to survey the

Ffig. 4 Eglwys Gadeiriol Tyddewi: golwg ar newidiadau arfaethedig Nash.
Fig. 4 St. Davids Cathedral: view of Nash's proposed alterations.

i'r adeiladwaith: wrth sadio yr oedd yr arcêd Normanaidd yn gwthio allan y ffrynt gorllewinol a oedd yn goleddfu'n frawychus ddeuddeg modfedd o'r unionsyth. Erbyn 1790 cyflogai'r Canoniaid Nash i archwilio'r Eglwys Gadeiriol a'r flwyddyn wedyn derbyniodd ei argymhellion ar gyfer atgyweirio'r adeilad. Argymhellodd Nash chwalu'r

Cathedral and the following year accepted his proposals for restoring the building. Nash proposed taking down the west front to the sill of the great window, shoring up the arcade, and encasing the shores in two huge buttresses. Nash accomplished this and rebuilt the west front in an idiosyncratic Gothic style which he claimed was the result of

23

ffrynt gorllewinol hyd at sìl y ffenestr fawr, ategu'r arcêd, ac amgau'r ategion mewn dau fwtres enfawr. Cyflawnodd Nash hyn ac ail-adeiladu'r ffrynt gorllewinol mewn arddull Othig unigryw yr honnodd ei bod yn ganlyniad astudiaeth ofalus o fanylion pensaernïol yr eglwys gadeiriol. Nid oedd y cynllun yn llwyddiant yn y tymor hir, naill ai o ran yr adeiladwaith na'r estheteg, ac fe'i beirniadwyd fwyfwy gan buryddion Gothig. Er hyn, i Nash, atebodd ddiben ar unwaith. Fel hunan-hysbysebiad yr oedd yr atgyweiriad yn fuddugoliaeth. Deallai Nash bwysigrwydd cyflwyniad gweledol medrus, a pherswadiodd y Cabidwl i gomisiynu ganddo bedwar ar ddeg o ddyluniadau mawr (am 15 gini yr un) yn dangos yr eglwys gadeiriol cyn ac ar ôl y gwaith atgyweirio. Edmygid yn fawr "cywreinrwydd a hynodrwydd" y dyluniadau hyn gan Pugin a Repton ac yn 1795 arddangoswyd hwy yn llwyddiannus gan Nash o flaen Cymdeithas yr Hynafiaethwyr.[4] Yr oedd penseiri mawr y dydd wedi gweithio ar atgyweirio eglwysi cadeiriol: nawr gallai Nash hawlio lle yn eu plith ar ôl ei atgyweiriad trawiadol o "eglwys gadeiriol archesgobol hynaf" Prydain.

MARCHNAD Y FENNI

Yr oedd marchnad newydd Nash yn y Fenni yn enghraifft dda o swyddogaeth y pensaer ym mhroses gwella trefol. Yn 1794 cafwyd Deddf Seneddol i godi arian i wella'r dref a sefydlwyd Pwyllgor Gwella'r Fenni. Yr oedd y neuadd farchad o'r ail ganrif ar bymtheg ynghanol y brif stryd i'w dymchwel a'r bwriad oedd adeiladu marchnad newydd ar safle wedi'i chreu o chwalu tai a chyrtiau. Y farchnad oedd canolbwynt pensaernïol y cynllun gwella, ond yr oedd yn rhan o gynllun mwy i wella'r cyflenwad dŵr a thacluso'r dref ganoloesol drwy balmantu'r strydoedd a chael gwared â ffryntiau ymwthiol y tai a siopau a oedd yn culhau'r strydoedd. Penodwyd Nash yn dirfesurydd a phensaer, gellid meddwl, oherwydd iddo ymwneud â chynllun tebyg yng Nghaerfyrddin. Rhoddodd Nash amcangyfrif o arwynebedd y coblo a phalmantu a rhoddodd gyngor ynghylch y cyflenwad dŵr. Argymhellodd adeiladu argae newydd gyda phibellau dŵr o goed llwyfen wedi'u

careful study of the architectural detail of the cathedral. The design was not a success in the long term, either structurally or aesthetically, and was increasing criticized by Gothic purists. Nevertheless, for Nash it served an immediate purpose. In terms of self-publicity, the restoration was a triumph. Nash, who understood the importance of skilful visual presentation, persuaded the Chapter to commission from him fourteen large drawings (each costing 15 guineas) depicting the cathedral before and after restoration. The "curiousity and singularity" of these drawings by Pugin and Repton were much admired and in 1795 Nash successfully showed them before the Society of Antiquaries.[4] The great architects of the day had worked on the restoration of cathedrals; Nash now had a claim to join their ranks with his striking repair of "the oldest metropolitan cathedral" in Britain.

ABERGAVENNY MARKET-PLACE

Nash's new market at Abergavenny was a good example of the role of the architect in the process of civic improvement. In 1794 an Act of Parliament was obtained for raising money needed to improve the town and the Abergavenny Improvement Committee was established. The seventeenth-century market-hall in the middle of the main street was to be demolished and it was proposed to build a new market-place on a site carved out of existing houses and courts. The market was the architectural focus of the improvement scheme, but it was part of a larger plan for improving the water supply, and tidying up the medieval town by paving the streets and removing the projecting fronts of houses and shops that narrowed the streets. Nash was appointed surveyor and architect because, one may suppose, he had been involved in a similar scheme at Carmarthen. Nash estimated the area of pitching and paving and advised on the water supply. He recommended the construction of a new dam with water pipes of bored elm. Nash's uncle, John Edwards of Lambeth, styled "pipe-borer", was brought in to advise but local artisans successfully pressed for the repair of the existing lead pipes. Nash submitted plans and estimates for the market together with a perspective drawing. A London

tyllu. Daethpwyd ag ewythr Nash, John Edwards o Lambeth, a gyfenwid yn "dyllwr pibellau", i gynghori, ond pwysodd crefftwyr lleol yn llwyddiannus am atgyweirio'r pibellau plwm. Cyflwynodd Nash gynlluniau ac amcangyfrifon ar gyfer y farchnad ynghyd â dyluniad persbectif. Penodwyd saer coed o Lundain, James Knight, fel ymgymerwr. Yr oedd y farchnad yn amgaead petryal yn cyffino â muriau'r dref. Ffurfiai'r lladd-dy a llociau resiad ar ffurf pedol a oedd yn cynnwys iard fawr a'i fynedfa trwy lidiardau haearn gyr (a wnaethpwyd gan of lleol) gyda phafiliwn bob ochr, yr ystafell wlân a swyddfa ceidwad y farchnad, mae'n debyg. Cwblhawyd y gwaith yn 1794 ac enillodd Nash daliadau o £130.

carpenter, James Knight, was appointed contractor. The new market-place was a rectangular enclosure which abutted the old town wall. The shambles and stalls formed a U-shaped range enclosing a large courtyard and was entered through wrought-iron gates (made by a local smith) flanked by "pavilions", probably the wool-room and market-keeper's office. The work was completed in 1794 and netted Nash fees of £130.

PRISONS

Nash built three county gaols between 1789 and 1796 towards the end of a period of prison reform: Carmarthenshire (1789-92), Cardiganshire (1791-96)

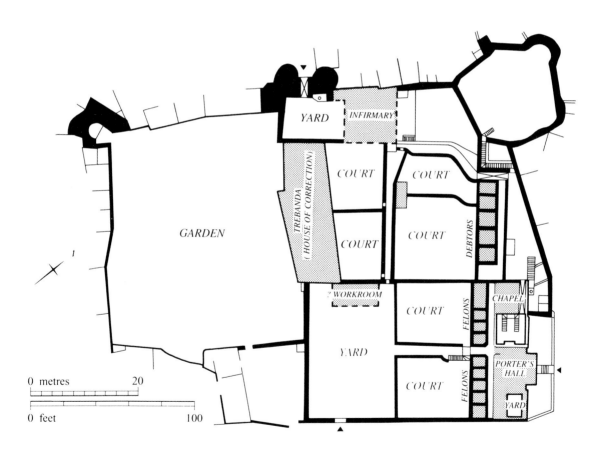

Ffig. 5 Carchardy Caerfyrddin: ail-luniad o gynllun.
Fig. 5 Carmarthen Gaol: reconstructed plan.

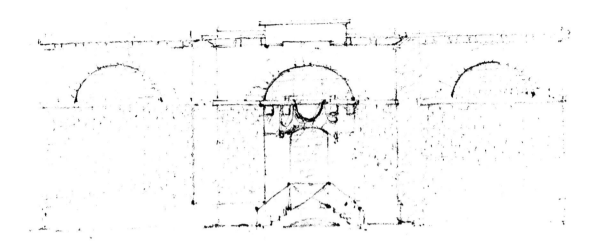

Ffig. 6 Carchardy Caerfyrddin: y fynedfa fel y'i hadeiladwyd, darluniwyd gan C. R. Cockerell, 1804 *(The British Arcitectural Library, RIBA, Llundain).*

Fig. 6 Carmarthen Gaol: entrance as built, drawn by C. R. Cockerell, 1804 (The British Architectural Library, RIBA, London).

Ffig. 7 Carchardy Caerfyrddin: y fynedfa cyn ei dymchwel, tua 1935.

Fig. 7 Carmarthen Gaol: entrance before demolition, ca. 1935.

CARCHARDAI

Adeiladodd Nash dri charchardy sirol rhwng 1789-96, tua diwedd cyfnod o ddiwygiad mewn carchardai: Sir Gaerfyrddin (1789-92), Sir Aberteifi (1791-96) a Swydd Henffordd (1792-96). Yr oedd Nash mewn safle da i ennill y comisiwn ar gyfer carchardy Caerfyrddin a pharatoasai gynllun ar gyfer carchar mor gynnar â 1786. Mae'n debyg mai canlyniad i'r comisiwn cyntaf fu carchardy Aberteifi, er i'r ustusiaid weld cynlluniau gan Willey Revely (a ddarparwyd gan Thomas Johnes) ac iddynt fynd at William Blackburn, yr adeiladwr carchardai blaenllaw, a fuasai'n dyst i briodas anffodus Nash. Sicrhaodd Nash y comisiwn ar gyfer carchardy Swydd Henffordd, y mwyaf o'r tri charchardy, gyda marwolaeth William Blackburn. Mewn gwirionedd yr oedd Nash wedi cyflwyno cynlluniau i atgyweirio'r carchar yn 1788, ond yn aflwyddiannus. Derbyniesid cynigion Blackburn ond yr oedd y cynlluniau heb eu gorffen adeg ei farwolaeth. Yn 1797 ysgrifennodd Nash, na fu erioed yn un i wastraffu cyfle, at ustusiaid Swydd Henffordd yn cynnig cyflwyno cynlluniau newydd. Cytunodd yr ynadon ac yr oedd rhinweddau'r cynlluniau cystadleuol gan Nash a Blackburn (wedi'u cwblhau gan John Dobson) i'w penderfynu gan James Wyatt (a oedd bryd hynny yn atgyweirio eglwys gadeiriol Henffordd). Ffafriodd Wyatt gynllun Nash ac fe'i mabwysiadwyd.[5]

Yr oedd carchardai Nash yn grŵp diddorol o ran eu cynllun a'u hwynebau. Yr oedd y cynllun yng Nghaerfyrddin o beth diddordeb gan fod y bonedd, mae'n ymddangos, yn gweithredu cynigion a adawyd gan y diwygiwr John Howard pan ymwelodd â Chaerfyrddin yn 1788.[6] Yn briodol, yr oedd y cynllun, gyhyd ag y gellir ei ddirnad, yn un Howardaidd. Gosodid adeiladau brics, o bosibl ag arcedau, wedi'u hawyro'n dda, yn cynnwys celloedd nos ac ystafelloedd dydd ar gyfer dosbarthiadau gwahanol o garcharorion - ffeloniaid, dyledwyr a mân-droseddwyr (carcharorion cospty) - o gwmpas ierdydd ymarfer gwahanol. Cynhwysid yr adeiladau hyn, ynghyd â chapel, gweithdy a chlafdy, i gyd y tu mewn i furiau allanol yr hen gastell ar ben y bryn.

Yn Aberteifi a Henffordd cyflwynwyd safleoedd

and Herefordshire (1792-96). Nash was advantageously placed to gain the commission for Carmarthen gaol and had prepared a design for a new house of correction as early as 1786. Cardigan gaol was presumably a consequence of the first commission, although the justices had seen plans by Willey Reveley (supplied by Thomas Johnes) and had approached William Blackburn, the prominent prison-builder, who had been a witness at Nash's ill-fated marriage. Nash secured the commission for Herefordshire gaol, the largest of the three prisons, on the death of William Blackburn in 1791. Nash had in fact unsuccessfully submitted plans for the repair of the gaol in 1788. Blackburn's proposals had been accepted but the designs were unfinished at his death. Nash, never one to waste an opportunity, wrote to the Herefordshire justices proposing to submit new designs. The magistrates agreed and the merits of the rival designs by Nash and Blackburn (finished by John Dobson) were to be decided by James Wyatt (who was then repairing Hereford Cathedral). Wyatt favoured Nash's design and it was adopted.[5]

Nash's prisons were an interesting group in terms of their plans and façades. The scheme at Carmarthen was of some interest since the gentry were apparently implementing proposals left by the reformer John Howard on his visit to Carmarthen in 1788.[6] The plan, in so far as it can be worked out, was appropriately Howardian. Well-ventilated, possibly arcaded, brick buildings containing night cells and day-rooms for the different classes of prisoners - felons, debtors and petty offenders (bridewell prisoners) - were ranged around separate airing courts. These buildings, together with a chapel, workshop and infirmary, were all contained within the perimeter walls of the old hill-top castle.

At Cardigan and Hereford, Nash was presented with new sites and, freed from the constraints of the dispersed Howardian plan, adopted a version of Blackburn's geometrical radial plan whose ingenuity was much admired. These prisons were planned according to the principles of segregation and observation. Prisoners were segregated in galleried wings which radiated from a central octagonal hall or observatory; prisoners in the courts between the wings were observed from windows

newydd i Nash ac, yn rhydd o orfodaeth cynllun gwasgarog yn null Howard, mabwysiadodd fersiwn o gynllun geometraidd, rheiddiol Blackburn yr edmygid ei gywreinrwydd yn fawr. Cynlluniwyd y carchardai hyn yn ôl egwyddorion gwahanu a goruchwylio. Didolid y carcharorion mewn esgyll orielog a reiddiai o neuadd neu wylfa wythochrog yn y canol: gwylid carcharorion yn yr ierdydd rhwng yr esgyll o ffenestri a osodid yn onglau'r

set in the angles of the octagon. Segregation extended to the prison chapels. Different classes of prisoner approached the chapel by separate entrances and once inside were segregated by partitions; the plan of the arrangements at Carmarthen has alone survived.

The stonework of these prisons was appropriately intimidating with bold rustication. The entrance façades at Carmarthen and Hereford

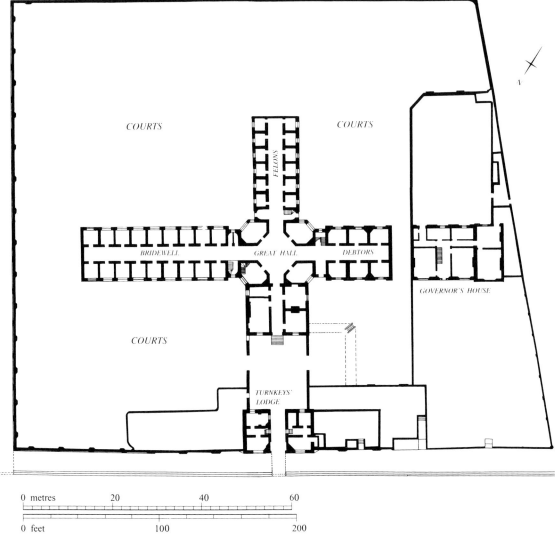

Ffig. 8 Carchardy Henffordd: ail-luniad o lorgynllun. Yn wreiddiol yr oedd tŷ ceidwad y carchar yn rhan o asgell y dyledwyr.

Fig. 8 Hereford Gaol: reconstructed ground plan. The governor's house was originally part of the debtors' wing.

COUNTY GAOL.

Ffig. 9   Carchardy Henffordd: y fynedfa.
Fig. 9   Hereford Gaol: entrance.

wythongl. Cedwid y carcharorion ar wahân hyd yn oed yng nghapeli'r carchardai. Deuai dosbarthiadau gwahanol o garcharorion i mewn i'r capel trwy fynedfeydd gwahanol ac unwaith iddynt fod y tu mewn cedwid hwy ar wahân gan barwydydd: cynllun y trefniadau yng Nghaerfyrddin yn unig sydd wedi goroesi.

Yn briodol, yr oedd gwaith maen y carchardai hyn yn frawychus ac eofn-arwaidd iawn. Yn wir, yr oedd wynebau blaen Caerfyrddin a Henffordd yn fersiynau cywasgedig o Newgate, gan gynnwys hyd yn oed dorchau o gadwyni ffeloniaid uwchben y mynedfeydd. Yn Henffordd yr oedd gan y porth addurn dybryd arall: yr oedd to fflat y brif fynedfa yn gwasanaethu fel llwyfan crogi, gyda'r crocbren wedi'i guddio'n gelfydd gan gwpola coeth teirochrog (a dynnwyd ymaith yn nes ymlaen i ganiatáu i'r cyhoedd weld dienyddiadau'n eglur).

Nid oes fawr o amheuaeth i garchardai Nash greu

were in fact compressed versions of Newgate, complete with garlands of felons' chains over the entrances. At Hereford the portal had a further grim embellishment: the flat top over the main entrance served as a hanging platform with the gallows ingeniously masked by an elegant three-sided cupola (which was later removed to allow the public full view of executions).

There can be little doubt that Nash's prisons made a considerable impact because of their scale, ingenuity, and architectural sophistication. C.R. Cockerell found in 1806 that the entrance to Carmarthen goal was "genrally and commonly admired". These prisons were virtually the only large neo-classical buildings in their localities and might serve as sources for architectural detail. At Moccas Court, for example, a design for a kitchen cupola in 1805 was based on the ventilator above the octagon at Hereford gaol.[7] The prison façades

Ffig. 10 Carchardy Aberteifi, tua 1870.
Fig. 10   Cardigan Gaol, ca. 1870.

cryn effaith oherwydd eu maint, cywreinrwydd a medrusrwydd pensaernïol. Yn 1806 cafodd C. R. Cockerell fod mynedfa carchar Caerfyrddin "yn destun edmygedd cyffredin". Y carchardai hyn oedd fwy neu lai yr unig adeiladau mawr, neo-glasurol yn eu hardaloedd, a gallent fod yn ffynonellau manylion pensaernïol. Yng Nghwrt Mochros (Moccas Court), er enghraifft, seiliwyd cynllun ar gyfer cwpola cegin yn 1805 ar yr awyrydd uwch ben yr wythongl yng ngharchar Henffordd.[7] Codi ofn oedd bwriad wynebau blaen carchardai Henffordd a Chaerfyrddin, ond yr oedd i garchardy Aberteifi goethder llym a gwellasid yr olygfa gyffredinol trwy adleoli'r tŷ tyrpeg gerllaw. O gwmpas mynedfa'r wyneb blaen gerwin, gyda'i dalog, oedd cwrt wedi'i balmantu a'i amgylchynu â chledrau. Ymwelodd Colt Hoare ag Aberteifi pan oedd y carchar bron wedi'i gwblhau. Edmygodd "y pentwr golygus a chymesur o waith maen", ond sylwodd : "os bydd palas yn plesio'r llygad neu'r meddwl yn well na bwthyn, gellid cyffroi dyn tlawd felly i ddymuno newid ei lety."[8]

PONTYDD

Yr oedd codi pontydd yn elfen bwysig mewn gwella trefi a siroedd. Deuid at rai trefi o bwys dros bontydd lled-adfeiliedig neu dros bontydd pren brawychus, a galwai balchder trefol am rywbeth i gymryd eu

at Hereford and Carmarthen were meant to deter, but Cardigan gaol had a grim elegance. The entrance to the severe pedimented façade was enclosed by a paved and railed court and the general prospect had been improved by resiting an adjacent turnpike house. Colt Hoare visited Cardigan as the prison neared completion, admired "the handsome and regular pile of masonry", but observed, in an early version of the "paupers' palace" argument, that "if a palace pleases the eye or the mind better than a cottage, a poor man may be excited thereby to a wish to change his lodgings."[8]

BRIDGES

Bridge-building was an important element in town and county improvements. The approaches to some towns of consequence were by semi-ruinous stone bridges or hair-raising timber bridges, and civic pride demanded their replacement. New bridge projects were widely discussed and it was a competitive field though cluttered with hair-brained schemes. Bridge-building merged the skills of the architect and the engineer. Success brought the architect fame; failure could be dramatic.

Nash designed two stone bridges in Cardiganshire, at Trecefel and at Aberystwyth (1793). The construction of Aberystwyth Bridge was deferred until 1797 and Nash was instructed to

Ffig. 11 Aberystwyth: pont bren dros dro *(T. Rowlandson, 1797).*
Fig. 11   Aberystwyth: temporary timber bridge (T. Rowlandson, 1797).

lle. Trafodid cynlluniau ar gyfer pontydd newydd yn eang ac yr oedd yn faes cystadleuol, er yn frith o gynlluniau hanner-pan. Yr oedd codi pont yn cyfuno medrau'r pensaer a'r peiriannydd. Deuai design a temporary timber bridge. Exhibiting his carpentry skills, Nash built an interesting braced bridge of deal baulks which caught Rowlandson's attention. His stone bridges seem to have been

Ffig. 12 Aberystwyth: pont faen *(H. Gastineau, tua 1825).*
Fig. 12   Aberystwyth: stone bridge (H. Gastineau, ca. 1825).

31

llwyddiant ag enwogrwydd i'r pensaer; gallai methiant fod yn ddramatig.

Cynlluniodd Nash ddwy bont yn Sir Aberteifi, yn Nhrecefel ac yn Aberystwyth (1793). Gohiriwyd adeiladu Pont Aberystwyth a chyfarwyddwyd Nash i gynllunio pont bren dros dro. Gan arddangos ei fedr mewn gwaith coed, adeiladodd Nash bont gleddog ddiddorol o drawstiau dêl a ddaliodd sylw Rowlandson. Ymddengys i bontydd maen Nash fod yn osgeiddig ond yn gonfensiynol. Adeiladwaith syml un bwa oedd Pont Trecefel; yr oedd gan Bont Aberystwyth bum bwa yn codi i uchafbwynt, ond 'roedd yn ddi-addurn heblaw am barapedi a thorddyfroedd pwrpasol.

Er hyn, pan roddwyd cyfle i Nash arloesi, fe'i cipiodd ac, â hyder nodweddiadol, cynigiodd adeiladu'r bont un bwa fwyaf ym Mhrydain. Daeth y cyfle yn 1791 gyda chynllun i ail-adeiladu'r bont ar draws Afon Wysg yng Nghasnewydd. Ceir llanw yn yr afon yn y fan hon ac awgrymodd Nash, mae'n debyg er hwylustod llongau, adeiladu pont faen un bwa, yn rhychwantu rhyw 285 troedfedd, a fyddai wedi bod rhyw 100 troedfedd yn hwy na'r bwa sengl mwyaf mewn bod ar y pryd - pont enwog William Edwards ym Mhontypridd.

Cyflwynodd Nash i ustusiaid Sir Fynwy gynlluniau a model a roddai "glod mawr i'w doniau geometraidd a pheirianyddol". Y mae dyluniad cyfoes o'r bwa coed a oedd ei angen ar gyfer y bont yn dangos maint y broblem beirianyddol a beiddgarwch cynllun Nash. Yr oedd pont Nash yn segment cylch tua 310 troedfedd o ddiamedr. Yr oedd uchafbwynt y bont rhyw 100 troedfedd uwchben y trai, ond yr oedd llanw o ryw ddeugain neu hanner can troedfedd, a oedd yn ei gwneud hi'n anodd adeiladu'r ategwaith. Er gwaethaf nifer o hysbysebion, bu'n amhosibl dod o hyd i neb i ymgymeryd â'r fath dasg gyda chymaint o ffactorau adeiladol ac ariannol na ellid eu mesur. Heb ddigaloni, dechreuodd Nash ar y pentanau ei hun a dechreuodd adeiladu'r argae coffr. Er hynny, gwangalonnodd yr ustusiaid: rhoddwyd y gorau i'r cynllun ym mis Mai ar ôl cyfarfod sirol o fonheddwyr a rhydd-ddeiliaid a alwyd gan glerc yr ynadon, a thalwyd £700 i Nash am y gwaith a wnaethpwyd. Yr oedd yn eironig mai pont aml-fwa gonfensiynol a adeiladwyd yng Nghasnewydd

graceful but conventional. Trecefel Bridge was a simple single-arched structure; Aberystwyth Bridge had five arches rising to a crown but was without embellishment beyond functional parapets and cutwaters.

However, when Nash was presented with an opportunity to be innovative he seized it and, with characteristic panache, proposed to build the largest single-span bridge in Britain. The opportunity came in 1791 with a scheme to rebuild the bridge spanning the Usk at Newport. The river is tidal at this point and Nash, presumably as a convenience to shipping, proposed a stone bridge of a single arch spanning about 285 feet, exceeding by some 100 feet the largest single arch then in existence - William Edwards's famous bridge at Pontypridd.

Nash submitted plans and a model to the Monmouthshire justices which gave "great credit to his geometrical and mechanical talents". These have disappeared but a contemporary drawing of the centering needed for the bridge survives and shows the scale of the engineering problem and the daring of Nash's design. Nash's bridge was a segment of a circle about 310 feet in diameter. The crown of the bridge was about 100 feet from low water, but the tide rose some forty or even fifty feet making it difficult to build the abutments. Despite several advertisements, it proved impossible to find contractors willing to take on such an undertaking with so many structural and financial imponderables. Undaunted, Nash started work himself on the abutments, and began constructing a coffer-dam. However, courage seems to have failed the justices; the scheme was abandoned in May 1792 after a county meeting of gentlemen and freeholders called by the clerk of the peace, and Nash was paid £700 for works completed. It was ironic that several years later a conventional multi-arched bridge was built at Newport by David Edwards, son of the builder of the famous single-arched bridge at Pontypridd. Nash's bridge-building at Newport may have been a failure but it was a significant failure: "the dreams of enormous arches, which had been thrust aside by committees for fifty years, had become a real project on a real site".[9]

As news of Nash's ambitious scheme at Newport became known, his advice was sought on a

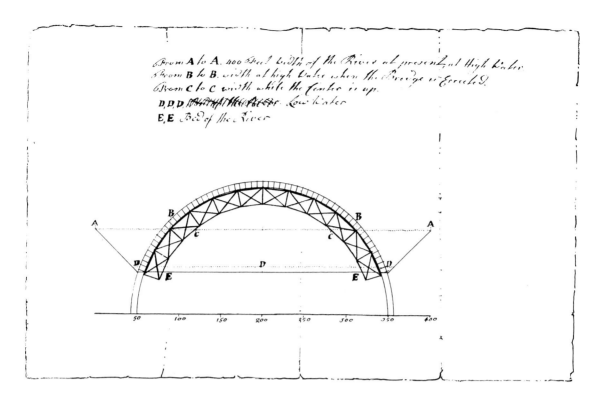

From A to A. 400 feet width of the River at present, at High Water.
From B to B. width at high Water when the Bridge is Erected.
From C to C width while the Centre is up.
D,D,D. ~~~~~~~~~~~~ Low Water
E,E Bed of the River

50   100   150   200   250   300   350   400

Ffig. 13   Pont Casnewydd: bwa coed arfaethedig.
Fig. 13   Newport bridge: proposed centering.

nifer o flynyddoedd wedyn - gan David Edwards, mab adeiladydd y bont un bwa enwog ym Mhontypridd. Efallai i ymdrech Nash i adeiladu pont yng Nghasnewydd fod yn fethiant, ond bu'n fethiant arwyddocaol: "yr oedd y breuddwydion am fwâu enfawr, a wthiwyd o'r neilltu gan bwyllgorau ers hanner can mlynedd, wedi troi'n gynllun go iawn ar safle go iawn".[9]

Fel yr ymledodd newyddion am gynllun uchelgeisiol Nash yng Nghasnewydd, ceisiwyd ei gyngor ynghylch pont arfaethedig yn Sunderland. Eto awgrymodd Nash bont faen un bwa arall, ond gwrthodwyd ei gynllun ar sail cost. Nid mewn meini yr oedd dyfodol adeiladu pontydd un bwa ond mewn haearn bwrw. Yn wir, yr oedd un o feirniaid Nash yng Nghasnewydd wedi awgrymu pont amgen o haearn a fwriasid yn lleol. Yr oedd Ironbridge (Sir Amwythig) wedi'i chwblhau yn 1779 ac, er bod y rhychwant yn weddol ddisylw, yr oedd yn arwydd o'r dyfodol. Cafodd Pont Sunderland, â rhychwant o 236 troedfedd, ei hadeiladu'n

proposed bridge at Sunderland. Nash again suggested a single-span masonry bridge but his scheme was rejected on the grounds of cost. The future of single-span bridge-building lay not in stone but with cast iron. One of Nash's critics at Newport had actually proposed an alternative iron bridge which would have been cast locally. Ironbridge (Shropshire) had been completed in 1779 and, although of relatively modest span, it signalled the future. Sunderland Bridge, with a span of 236 feet, was successfully built of iron in 1796 and Nash, on rather slender grounds, claimed some credit for the design.[10]

Nash interested himself in the design of iron bridges. A Worcestershire magistrate (under the impression that Nash had designed Sunderland Bridge) invited him to construct an iron bridge across the Teme at Stanford. Nash's first iron bridge was a dramatic failure. The bridge collapsed in 1795 at the point of completion. At the time, fortunately, the workmen were receiving their wages at an

llwyddiannus o haearn yn 1796 a hawliodd Nash, ar sail denau iawn, rywfaint o'r clod am y cynllun.[10]

Cymerodd Nash ddiddordeb mewn cynllunio pontydd haearn. Gwahoddwyd ef gan ynad o Sir Gaerwrangon (a oedd dan yr argraff mai Nash oedd wedi cynllunio Pont Sunderland) i adeiladu pont haearn ar draws Afon Tefeidiad yn Stanford. Yr oedd pont haearn gyntaf Nash yn fethiant dramatig. Cwympodd y bont yn 1795 ar fin ei chwblhau. Yn ffodus, ar y pryd, yr oedd y gweithwyr yn casglu eu cyflog mewn tŷ tafarn gerllaw ond taflwyd dau gerddwr i'r afon a gorfod nofio am eu bywyd. Effeithiodd y cwymp ar hyder mewn pontydd haearn yn gyffredinol. Datganodd Cwmni Coalbrookedale mai "dyn sy'n gwbl ddieithr iddynt a fu'n ymgymryd â (Phont Stanford) a'i hadeiladu, ac ar gynllun hollol wahanol i'r pontydd haearn a fwrir ganddynt hwy". Priodolwyd y methiant i'r ffaith bod y gwaith haearn mor dila. Ni chynhyrfodd Nash, ac addawodd ail-adeiladu'r bont, gan ddal ati'n llwyddiannus gyda system newydd o flychau haearn cynffurf (a ysbrydolwyd, mae'n debyg, gan feini cynffurf bwâu maen), wedi'u bwrw y tro hwn yn Coalbrookdale, a folltiwyd at ei gilydd. Cododd Nash batent ar y cynllun hwn, fel y datganai plac ar y bont, ond nis mabwysiadwyd erioed gan y peirianwyr a oedd fwyfwy'n rheoli codi pontydd.[11]

Yn 1795 croesodd llwybrau Nash a Thomas Telford pan gyflwynodd y ddau gynlluniau ar gyfer pont yn Bewdley. Awgrymodd Nash bont a oedd "yn gymysgedd o haearn gyr a haearn bwrw", a chynigiodd yn hyderus egluro'r egwyddorion i Telford a welai yn swydd ymgymerwr. Cyfarwyddwyd y ddau i ymgynghori gan gomisiynwyr y bont, ond rhoddodd cwymp pont Nash yn Stanford ergyd farwol i'w hygrededd fel adeiladwr pontydd a daeth y cydweithio i ben yn ddisymwth.[12] Y mae cyfatebiaeth addysgol rhwng gyrfaoedd Nash a Telford a ddengys sut y gallai pensaernïaeth gyhoeddus lwyddiannus yn y rhanbarthau osod sail ar gyfer gyrfa genedlaethol. Yr oedd Telford, ychydig yn iau na Nash a heb orffennol brith, wedi cyrraedd yr Amwythig ar gyfer comisiwn adeiladu disylw pan oedd Nash yn ymsefydlu yng Nghaerfyrddin. Arhosodd Telford ac, yn debyg i Nash, ymsefydlodd dros ddegawd

adjacent alehouse but two pedestrians were thrown into the river and had to swim for their lives. The failure generally affected confidence in iron bridges. The Coalbrookdale Company made it known that Stanford Bridge "was undertaken and erected by a person who is an entire stranger to them, and upon a plan completely different from the iron bridges cast by them". Unperturbed, Nash undertook to rebuild the bridge, persevering successfully with a novel system of hollow, wedge-shaped iron boxes (presumably inspired by the voussoirs of stone arches), this time cast at Coalbrookdale, which were bolted together. Nash patented this design, as a plaque on the bridge announced, but it was never adopted by the engineers who increasingly dominated bridge building.[11]

In 1795 the paths of Nash and Thomas Telford crossed when they both submitted plans for a bridge at Bewdley. Nash proposed a bridge which was "a mixture of wrought and cast iron", and breezily offered to explain the principles to Telford whom he cast in the role of contractor. The bridge commissioners instructed Telford and Nash to confer, but the collapse of Nash's bridge at Stanford fatally damaged his credentials as a bridge builder and abruptly ended the collaboration.[12]

There is an instructive parallel between the careers of Nash and Telford which shows that successful provincial public architecture could lay the foundations for a national career. Telford, a little younger than Nash and without a chequered past, had arrived in Shrewsbury for a modest building commission just as Nash was settling in Carmarthen. Telford stayed and, like Nash, established himself over a decade as a contractor, surveyor, prison- and bridge-builder, domestic and church architect. Telford's success enabled him to abandon domestic architecture and specialize in civil engineering projects. Nash abandoned engineering and public works once his career as a country-house architect was established. Both came to dominate their respective fields as the skills of architect, surveyor and engineer became professionally distinct.[13]

fel ymgymerwr, tirfesurydd, adeiladydd carchardai a phontydd, pensaer domestig ac eglwysig. Bu llwyddiant Telford yn ei alluogi i roi heibio pensaernïaeth ddomestig ac arbenigo mewn cynlluniau peirianneg sifil. Rhoddodd Nash y gorau i beirianneg a gweithiau cyhoeddus unwaith iddo sefydlu ei yrfa fel pensaer plastai. Daeth y ddau i drarheoli yn eu maes fel y daeth medrau pensaer, tirfesurydd a pheiriannydd i fod yn yrfaoedd hollol wahanol.[13]

Cyfeiriadau / References

1 Cf. E. L. Jones & M. E. Falkus, "Urban improvement and the English economy in the seventeenth and eighteenth centuries", *The Eighteenth-century Town*, gol./ed. Peter Borsay (1990), 128-46.

2 Terrence James, *Carmarthen: An Archaeological and Topographical Survey* (1980), 52-3; Act 32 Geo. III, cap. 104.

3 D.Whitehead, *Trans. Woolhope Naturalists' Field Club*, xlvii (1992), 212; NLW, Cards. QS/OB/4 , f. 132; Hereford R.O., Q/S Minute Book, 19.vii.1797, Q/SM/14, 259-60.

4 I.Wyn Jones, "John Nash at Saint David's", *The Architectural Review*, 112 (1952), 63-5.

5 NLW, Cards. QS/OB/4, f.28 R. Moore-Colyer, *A Land of Pure Delight* (1992), 292; Hereford R. O., Q/SM/14, 15.vii.1778, 10.vii.1792; gweler yn gyffredinol / see generally, Robin Evans, *The Fabrication of Virtue* (1982), ch. 4.

6 Spurrell, *Carmarthen* (1879), pp. 51-2; John Howard, *An Account of the Principal Lazarettos* (1789), p. 214.

7 RIBA, MS. Coc/9/1; Hereford R.O., AL/28/19-20.

8 NLW, MS. 16989C, 504-6.

9 James Baker, *A Picturesque Guide to the Local Beauties of Wales* (argr. 1af/1st ed., 1791), 66, & (ail argr./2nd ed., 1795), 63; *Hereford Journal*, 2.xi.1791, 9.v.1792; Ted Ruddock, *Arch Bridges and their Builders, 1735-1835* (1979), 124.

10 Ruddock, *Arch Bridges*, pen./ch. 11; NLW, Tredegar MS. 138.

11 B. Trinder "The First Iron Bridges", *Industrial Archaeology Review*, iii (1979), 118; D. Whitehead, *Trans. Woolhope Naturalists' Field Club*, xlvii (1992), 229-30; *Hereford Journal*, 30.ix.1795, 11.xi.1795.

12 D. Whitehead, *op.cit.*, 228-9.

13 J. B. Lawson, "Thomas Telford in Shrewsbury", *Thomas Telford: Engineer*, gol./ed. Alastair Penfold (1980), pen./ch. 1; J. Mordaunt Crook, "The Pre-Victorian Architect: Professionalism and Patronage", *Architectural History*, 12 (1969), 62-78.

Ffig. 14 Glanwysg: prif ffrynt tua 1810 *(gyda chaniatâd Oriel Gelf Ontario, Toronto)*.
Fig. 14 Llanwysc: principal front ca. *1810* (by courtesy of the Art Gallery of Ontario, Toronto).

Y FILÂU
THE VILLAS

Bu adeiladau cyhoeddus Nash yn bwysig oherwydd eu bod yn fynegiadau gweladwy iawn o'i allu fel adeiladwr ac oherwydd iddynt ddod ag ef i gyswllt am gyfnodau estynedig â'r ynadon a reolai'r llysoedd chwarter ac a arolygai'r cytundebau ar gyfer pontydd, carchardai a gweithiau cyhoeddus eraill. Yn weddol fuan dechreuodd Nash ail-adeiladu eu tai, er y mae'n anodd gwybod yn union ba faint a adeiladodd mewn gwirionedd; mae deuddeg fila wedi'u hadnabod, ynghyd â newidiadau i dai oedd mewn bod eisoes, ac y mae'n debyg y bu eraill.

Yr oedd y sefyllfa yn ffafriol i Nash yn yr ystyr bod llawer o dai bonedd yn ne-orllewin Cymru yn gofyn am eu hail-adeiladu. Byddai teithwyr o'r cyfnod yn gwrthgyferbynnu plastai hynafol â'u holynwyr dinod a ymddangosai braidd yn debyg i ffermdai. "Ni welais erioed gyn lleied o blastai teilwng i gartrefu bonheddwyr hyd yn oed yn weddol dda eu byd", fu casgliad un sylwedydd yn 1782 ar ôl taith o gwmpas de-orllewin Cymru.[1] Trigai sawl bonheddwr ymhlith casgliad hap a damwain o adeiladau domestig ac amaethyddol, ond yr oedd sawl degawd o brisiau amaethyddol da wedi rhoi modd iddynt gychwyn ar raglen o ail-adeiladu. Ond ar wahân i'r ffaith bod modd ar gael, yr oedd sawl rheswm cymdeithasol a ysgogai fonheddwyr i ail-adeiladu eu tai. Er i'r bonedd dderbyn eu hincwm yn bennaf o dir amaethyddol, nid oeddynt fel arfer yn ffermio eu hunain mwyach (er y gallent fod â diddordeb mewn gwella amaeth) ac ystyrrid agosrwydd adeiladau fferm i'r plasty fel peth mwyfwy amhriodol. Yn ail, yr oedd pellter cymdeithasol yn cynyddu rhwng teuluoedd bonheddig a'u gweision. Ers talwm cawsai gweision allanol eu halltudio o'r tai lle buasent yn byw gynt, ac yn fwyfwy cedwid gweision domestig ar wahân i'r teuluoedd a wasanaethent yn eu llety eu hunain draw oddi wrth brif ran y tŷ.

Golygai hyn i gyd lawer o ail-adeiladu ac ail-gynllunio. Weithiau, yn syml, adeiledid ffrynt

Nash's public buildings were important because they were visible expressions of his building competence, and they brought him into prolonged contact with the magistracy who controlled the quarter sessions and supervised the contracts for the bridges, prisons and other public works. Quite soon Nash began to rebuild their houses, although it is difficult to know quite how many he did build; twelve villas have been identified, besides alterations to existing houses, and there were probably others.

Circumstances favoured Nash in the sense that many gentry houses in south-west Wales were ripe for rebuilding. Travellers of the period drew a contrast between ancient gentry houses and their mundane successors which appeared rather like farmhouses. "I never saw so few seats worthy of the residence of gentlemen even in middling fortune", concluded one observer in 1782 after a tour of south-west Wales.[1] Many gentlemen lived amidst a haphazard accumulation of domestic and farm buildings, but several decades of good agricultural prices had given them the means to embark on a programme of rebuilding. And apart from the availability of resources, there were several social reasons which prompted gentlemen to rebuild their houses. Although the gentry drew their income primarily from agricultural land, they no longer usually farmed directly (though they might have an interest in farming improvement) and farm buildings in very close proximity to the house were increasingly regarded as inappropriate. Secondly, there was a growing social distance between gentry families and their servants. Outdoor servants had long been banished from the houses where they had formerly lived and domestic servants were increasingly segregated from the families they served in their own separate quarters away from the main part of the house.

All this involved much rebuilding and replanning. Sometimes a house was simply

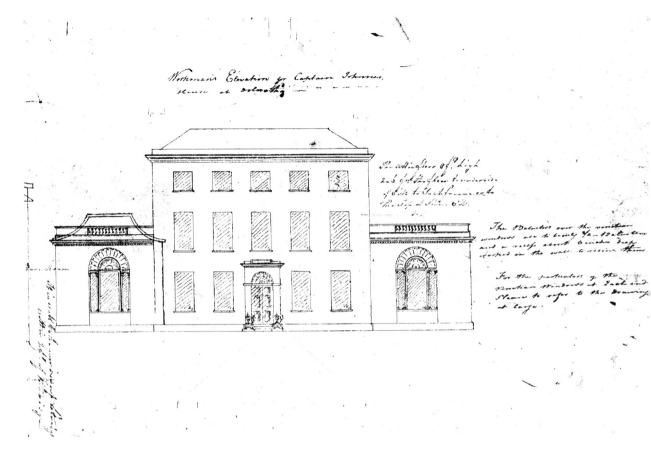

Ffig. 15 Dolaucothi: golygwedd Nash ar gyfer y gweithwyr.
Fig. 15 Dolaucothi: Nash's workman's elevation.

newydd i'r tŷ, fel yn Nolaucothi lle cuddid adenydd ychwanegol i'r gweision gan ffrynt tri llawr newydd gyda pafiliynau unllawr yn gysylltiedig a rhoddai i'r tŷ olwg urddasol. Mynnai cwsmeriaid eraill dai newydd, ac iddynt hwy adeiladodd Nash gyfres o filâu hynod ddiddorol a mwyfwy gwreiddiol o dua 1788 i 1796. Ar y cyfan perthynai cwsmeriaid Nash i ddosbarth y bonedd trigiannol ond cynrychiolid y dosbarth canol proffesiynol gan ddyrnaid o lyngesyddion, atwrnai ac argraffydd. Teulu'r Johnesiaid oedd ei noddwr pwysicaf; gellir olrhain pedwar comisiwn yn rhwydwaith y teulu a bu'n ymwneud, fel ynadon a thirfeddianwyr, â phensaernïaeth gyhoeddus Nash.

Ffafriwyd Nash oherwydd bod golwg dda ar ei dai, yr oeddent yn fodern ac wedi'u cynllunio'n dda, heb fod yn ddrud; neu, yn hytrach, yr oedd yr amcangyfrifon yn rhad. Mae'n wir bod gan Nash

refronted, as at Dolaucothi where a new three-storey front with attached single-storey pavilions disguised added service-wings and gave the house an air of grandeur. Other clients required new houses and for them Nash built a series of villas of absorbing interest and increasing originality from about 1788 to 1796. Nash's clients belonged in the main to the resident gentry class, but a clutch of admirals, an attorney and a printer represented the professional middle class. The Johnes family were his most important patrons; four commissions can be traced in the family network and they were involved, as magistrates and landowners, in Nash's public architecture.

Nash was favoured because his houses looked good, they were modern and well planned, and were not expensive - or, rather, the estimates were cheap. Nash did have the habit of underestimating

arfer o roi amcangyfrif rhy fach o'r costau. Ys dywedodd Uvedale Price wrth gymeradwyo Nash: "Mae'n rhesymol yn ei ffioedd, ond ni roddwch goel ar ei amcangyfrifon [a] mynnwch rywun arall i weithredu ei gynlluniau."[2] Yr oedd ffioedd cyntaf Nash yn isel ac ymddangosai'r amcangyfrifon yn rhesymol ond fel arfer costiai adeiladau fwy nag a ragwelwyd ar y cychwyn. Byddai Nash yn cyflwyno bil terfynol am ei gomisiwn - fel arfer yn bump y cant o'r gost - pan ddaliai cwsmeriaid i wingo dan draul annisgwyl yr adeilad. Ymddengys i berthynas Nash â'i gwsmeriaid, a gychwynasai gystal, yn aml orffen yn wael, gan ddryllio oherwydd dadleuon ynghylch gwarged o filiau dyledus.

Y mae dyddiadur a phapurau John Johnes, Dolaucothi, yn dangos cyhyd y gallai busnes adeiladu fod a chyfnewidioldeb y berthynas rhwng y pensaer a'r cwsmer. Pan ddaeth etifeddiaeth

costs. As Uvedale Price put it when recommending Nash, "He is reasonable in his charges, but don't trust his estimates [and] get some other person to execute his designs."[2] Nash's initial fees were low and the estimates seemed reasonable but buildings usually cost more than originally envisaged. Nash would present a final bill for his commission - generally five per cent of the total cost - when clients were still smarting from the unexpected expense of building. Nash's relationships with his clients which began so well seem often to have ended badly, foundering on a residue of disputed bills.

The diary and papers of John Johnes of Dolaucothi show how protracted the building business could be and the changing quality of the relationship between architect and client. When Johnes came into his inheritance, he found Dolaucothi in a state of great decay. He determined to rebuild and, having met Nash at Hafod, wrote to

Ffig. 16 Dolaucothi: golygwedd â phafiliynau cysylltiedig.
Fig. 16 Dolaucothi: elevation with attached pavilions.

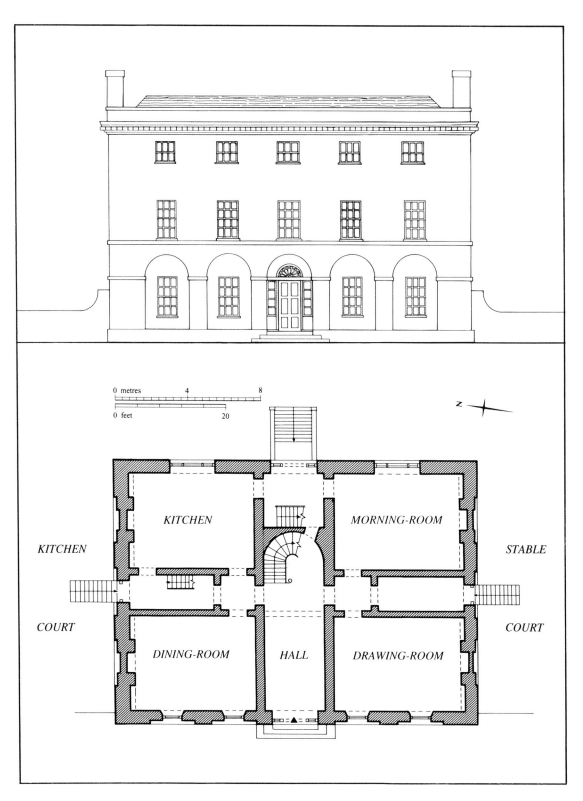

0 metres   4   8

0 feet   20

N

KITCHEN

MORNING-ROOM

KITCHEN

STABLE

COURT

COURT

DINING-ROOM

HALL

DRAWING-ROOM

Johnes iddo, cafodd fod Dolaucothi mewn cyflwr dadfeiliedig iawn. Penderfynodd ail-adeiladu ac, wedi cwrdd â Nash yn yr Hafod, ysgrifennodd ato yn 1792, er gwaethaf amheuon ei atwrnai, Herbert Lloyd. Ymwelodd Nash â Dolaucothi ddwywaith (am £2. 12s. y tro) pan drafodwyd cynlluniau ar gyfer y tŷ ynghyd â thŷ tafarn a ffermdy. Ym mis Mehefin 1792 anfonodd Nash ddyluniadau cymen o'i gynllun ar gyfer Dolaucothi (cost, 5 gini) ynghyd ag amcangyfrif o'r llafur, yn dod yn £436 ond heb gynnwys cost y defnyddiau, a geid ar yr ystâd. Ar ôl nifer o ymweliadau gan Robert George, clerc Nash, gosodwyd carreg sylfaen y ffrynt newydd ym mis Mehefin 1793. Llofnodasid cytundebau â'r saer maen, y saer coed a'r töwr. Y mae dyluniadau cymen Nash wedi mynd ar goll ond mae ei ddyluniad ar gyfer yr adeiladwr, a luniwyd ar bapur cryf, ar gael a chadw - goroesiad hynod. Arolygwyd y gwaith adeiladu yn bennaf gan Robert George, a ymwelodd â Dolaucothi 19 o weithiau i fesur y gwaith a rhoi sêl bendith arno. Ymwelai Nash bob hyn a hyn a chiniawa gyda Johnes a'i gymdogion. Weithiau âi'r busnes ymlaen yn araf; "nid rhyw lawer wedi'i wneud tra bum i ffwrdd", meddai Johnes yn sarrug ar ôl ymweliad â Hafod lle âi gwaith adeiladu ymlaen ar yr un pryd. Erbyn 1794 aflonyddwyd ar y berthynas gytûn rhwng cwsmer a phensaer pan gyrhaeddodd eitemau arbennig, gan gynnwys dau le tân marmor, a drysau wedi'u gwneud gan saer dodrefn o Lundain, y gwrthododd Johnes eu derbyn. Yr oedd y tŷ fwy neu lai wedi'i gwblhau

him in 1792, despite the misgivings of his attorney, Herbert Lloyd. Nash paid two visits to Dolaucothi (each at £2.12s.) at which plans for the house as well as an inn and farmhouse were discussed. In June 1792 Nash sent fair drawings of his design for Dolaucothi (costing 5 guineas) together with an estimate of the labour amounting to £436 but excluding the cost of materials which were to be found on the estate. After several visits by Robert George, Nash's clerk, the foundation stone of the new front was laid in June 1793. Contracts had been signed with the mason, carpenter, and slater. Nash's fair drawings have been lost but his "workman's elevation" for the builder, drawn on robust paper, has been preserved - a remarkable survival. The building work was mostly supervised by Robert George, who made 19 visits to Dolaucothi to measure and certify the work. Nash paid occasional visits and dined with Johnes and his neighbours. Progress was sometimes slow; "not much done in my absence" recorded Johnes testily after a visit to Hafod where building work proceeded in parallel. By 1794 the harmonious relationship between client and architect was disturbed by the arrival of special items, including two marble fireplaces, and doors made by a London joiner, which Johnes refused to accept. The house was more or less finished in 1795 but the correspondence between Nash and Johnes became increasingly acrimonious as bills needed settlement. "I cannot conceive in what respect the receipt I sent you was an improper one or that you

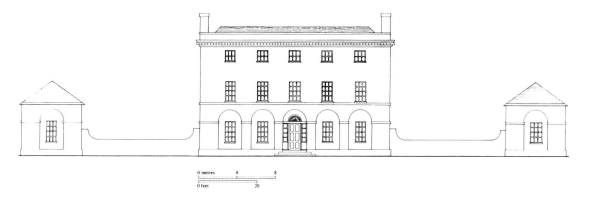

Ffig. 17 Cwrt Whitson: cynllun a golygwedd â phafiliynau cysylltiedig.
Fig. 17 Whitson Court: plan and elevation with linked pavilions.

erbyn 1795 ond âi'r ohebiaeth rhwng Nash a Johnes yn fwyfwy chwerw fel y deuai angen setlo biliau. "Ni allaf yn fy myw feddwl ym mha fodd yr oedd y dderbynneb a anfonais atoch yn un annerbyniol na sut bod gennych unrhyw sail dros fod mor orfanwl yn ei chylch", ysgrifennodd Nash, wedi'i gythruddo, at Johnes yn 1796. Y cyfanswm terfynol oedd £995. 18s., mwy na dwywaith yr amcangyfrif gwreiddiol, a chododd Nash arno gomisiwm o £49. 16s. ynghyd â ffioedd o dros £54 o gostau teithio. Bu'r biliau dadleuol am leoedd tân a drysau heb eu talu hyd at 1798 pan ildiodd Johnes i'r gofynion gan ofni achos cyfreithiol. "Yr wyf yn meddwl bod rhaid ichwi ateb cais hwn am arian, "cynghorodd Herbert Lloyd, yr atwrnai, "am ba un y mae'n rhaid ichwi ddiolch i'ch cyfaill Nash. Gwnaeth yr un tro gyda'r Uchgapten [Lewis, Plas Llannerch Aeron] y rhoddwyd y gyfraith arno a'i orfodi i dalu, costiodd £100 a mwy iddo."[3]

FILÂU: GEOMETRIG AC ARDDULL

Y mae'r dogfennau yn ymwneud â Dolaucothi yn anarferol o gyflawn. Ymddengys mai ychydig o ddogfennau yn ymwneud â chodi tŷ a gadwai cwsmeriaid Nash yn gyffredinol: nid oedd fawr o bwynt unwaith y cwblhawyd y tŷ a thalu'r biliau. Gan hynny, mae'n anodd dogfennu filâu Nash, ac weithiau ychydig o sail sydd i'r gred mai Nash a gynlluniodd bob tŷ a briodolir iddo. Gan dderbyn, o fewn rhai ffiniau, fod penseiri'n gweithio o fewn fframwaith cyffredinol o syniadau, y mae'n bwysig diffinio i sicrwydd beth oedd yn nodweddiadol ynglŷn â chynlluniau Nash, a dodi ei filâu yn nhrefn amser.

Rhaid ystyried yn gyntaf gwestiwn arddull. Y mae'n ymddangos i Nash fynd trwy gyfnod Gothig pan ddechreuodd adeiladu yng Nghymru gyntaf a adlewyrchai hyn i ryw raddau natur ei gomisiynau cynnar. Nid oes amheuaeth nad oedd y comisiwn i ail-adeiladu ffrynt gorllewinol Eglwys Gadeiriol Tyddewi yn ddylanwad pwysig a dywedodd Nash wrth Gymdeithas yr Hynafiaethwyr nes ymlaen ei fod wedi astudio manylion Gothig yr eglwys gadeiriol. Dyddiai clwstwr bach Nash o adeiladau Gothig cynnar o'i ymwneud â Thyddewi: porth llidiard Plas Cleidda (Clytha House) (1790),

have any ground for being so very nice about the form of it", wrote an exasperated Nash to Johnes in 1796. The final cost came to £995.18s., more than double the original estimate, on which Nash charged commission of £49.16s. in addition to fees of over £54 for journeys. The disputed bills for fireplaces and doors remained unpaid until 1798, when Johnes capitulated to the demands, fearing a law suit. "I think you must pay this demand", advised Herbert Lloyd, the attorney, "for which you must thank your friend Nash. He did the same trick with the Major [Lewis of Llanaeron] who was sued and obliged to pay, it cost him £100 and upwards."[3]

VILLAS : GEOMETRY AND STYLE

The documentation relating to Dolaucothi is exceptionally full. Nash's clients seem generally to have kept few documents relating to the building of a house; there was little point once the house had been completed and the bills settled. Nash's villas are accordingly difficult to document and accepted attributions sometimes have a slender basis. Given that within certain limits architects worked with a common framework of ideas, it is important to establish what was distinctive about Nash's designs and to develop a chronology for his villas.

The question of style needs to be considered first. Nash seems to have had a Gothic phase when he first started building in Wales and this partly reflected the nature of his early commissions. The commission to rebuild the west front of St. Davids Cathedral was undoubtedly an important influence, and Nash later told the Society of Antiquaries that he had made a study of the Gothic detail at the cathedral. Nash's small group of Gothic buildings dates from his involvement at St. Davids: the gateway to Clytha House (1790), St. Davids Chapter House (1791), Castle House (1791-94), Emlyn Cottage (1792) and Hafod (1793). Nash's two Gothic houses were both exceptional buildings - one a summer retreat, the other a dower-house - rather than orthodox villas, and detailed consideration of them belongs to the next chapter. The Priory House (Cardigan), alone of Nash's villas, was given Gothic windows in the main elevation, presumably because of its proximity to the remains of the medieval

Ffig. 18 Tŷ Sion: prif ffrynt.
Fig. 18 Sion House: principal front.

Cabidyldy Tyddewi (1791), Tŷ'r Castell (Castle House) (1791-94), Bwthyn Emlyn (Emlyn Cottage) (1792) a'r Hafod (1793). Yr oedd tai Gothig Nash ill dau'n dai anarferol - y naill yn encilfa haf a'r llall yn dŷ gwraig weddw - yn hytrach na filâu arferol, a pherthyn ystyriaeth fanwl ohonynt i'r bennod nesaf. Yn Nhŷ'r Priordy (Priory House) (Aberteifi) yn unig o filâu Nash y gosodwyd ffenestri Gothig yn y prif ffrynt, oherwydd, mae'n debyg, ei fod mor agos i adfeilion eglwys ganoloesol, ond heblaw am hynny mae braidd yn blaen. Yr oedd yn well o hyd gan fonheddwyr y wlad fyw mewn tai yn yr arddull glasurol, a thua 1790 dechreuodd Nash gynllunio'r

church, but it was otherwise rather plain. Country gentlemen still preferred to live in houses of classical style, and around 1790 Nash began to design the neo-classical villas which were the beginnings of his reputation as a country-house builder.

It is also important to understand the extent to which clients might have influenced Nash's designs. Of course, some clients, like Uvedale Price and Thomas Johnes, made special demands on Nash. However, even Uvedale Price, once he had explained to Nash what he wanted in general terms, left him "to arrange it in his best manner". On the whole, it seems that Nash was in control and was

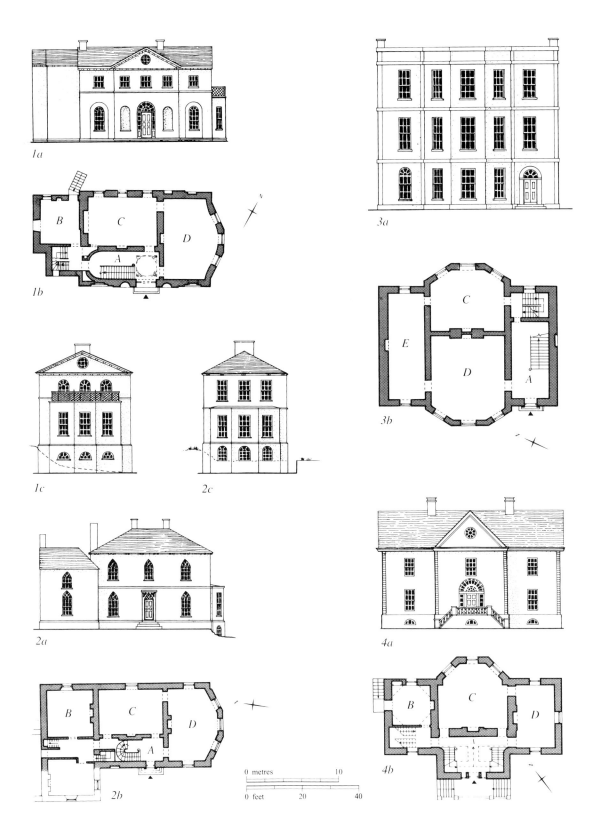

1a

1b

B

C

D

A

3a

3b

C

E

D

A

1c

2c

2a

B

C

D

A

4a

4b

B

C

D

0 metres 10

0 feet 20 40

2b

44

filâu neo-glasurol a fu'n gychwyn ei fri fel adeiladydd plastai.

Mae'n bwysig deall hefyd i ba raddau y gallai cwsmeriaid Nash fod wedi dylanwadu ar ei gynlluniau. Wrth gwrs byddai rhai o gwsmeriaid Nash, fel Uvedale Price a Thomas Johnes, yn gofyn pethau arbennig ganddo. Er hyn, bu i Uvedale Price, hyd yn oed, unwaith iddo egluro wrth Nash yn fras yr hyn oedd arno ei eisiau, adael iddo "ei drefnu yn ei ddull gorau". Ar y cyfan y mae'n ymddangos mai Nash oedd yn rheoli popeth a gallai berswadio cwsmeriaid i dderbyn cynlluniau y gallent weithiau eu cael yn anodd cynefino â hwy. Ymddengys yr arferai'r Llyngesydd Gell fytheirio i'w westeion ynghylch cynllun a gwedd stwcoaidd ei "chateau" yng Nglanwysg (yn Llanwysc), gan ddweud y byddai'n well ganddo "gythraul o dŷ da wedi'i beintio" yn lle fila Eidalaidd.[4]

Yn niffyg trefn amser sicr, mae filâu Nash yng Nghymru yn ymddangos fel grŵp anghydryw braidd o adeiladau a ddyddir yn fras rhwng 1785-1795. Er hyn bu datblygiad yn filâu Nash a gellir olrhain cynnydd eglur o ran eu cynllun a'u geometreg. Fy mwriad i yw rhannu filâu Nash yn ddau grŵp amseryddol, er efallai na fydd rhaniad y categorïau yn hollol bendant: yn gyntaf, filâu cynnar dan ddylanwad cynlluniau Syr Robert Taylor, ac yn ail, filâu cryno diweddarach Nash tebyg i flychau.

FILÂU TAYLORAIDD

Dengys filâu Nash, fel y gellid ei ddisgwyl, ddylanwad Syr Robert Taylor, y buasai Nash yn gyfarwydd â'i dai hynodol ac ar ba rai y dichon iddo weithio yn y degawd 1765-1775. Nodweddid filâu Taylor gan ffurfiau newydd eu hystafelloedd, fowtiau plastr, eu grisiau geometraidd ceinwych a oleuid oddi uchod, a chan fargodion dyfn-gorbedog. Yr oedd y nodweddion hyn yn rhan o eirfa bensaernïol Nash trwy gydol ei gyfnod yng Nghymru. Nodweddid filâu Taylor yn ogystal gan

able to persuade clients to accept designs which they might sometimes have difficulty getting used to. Admiral Gell would apparently expostulate to his guests about the plan and stuccoed appearance of his "chateau" at Llanwysc, saying that he wished he had a "d[amned] good splashed house" instead of an Italian villa.[4]

In the absence of an established chronology, Nash's Welsh villas appear as a rather heterogeneous group of buildings loosely dated between 1785 and 1795. However, there was development in Nash's villas and a clear progression can be traced in terms of their planning and geometry. It is proposed here to divide Nash's villas into two chronological groups, though they may not be absolutely hard-and-fast categories: first, early villas influenced by Sir Robert Taylor's designs, and, secondly, Nash's later compact, box-like villas.

TAYLORIAN VILLAS

Nash's villas, as one would expect, exhibit the influence of Sir Robert Taylor, whose distinctive houses Nash would have known and may well have worked on in the decade 1765-75. Taylor's villas were distinguished by their novel room shapes, plaster vaulting, elegant top-lit geometrical stairs, and deep bracketed eaves. These features were part of Nash's architectural vocabulary throughout his period in Wales. Taylor's villas were also distinguished by their geometry, especially his liking for projecting or canted bays, by string-courses at first-floor level, and by the traditional basement kitchen or "rustic". Nash also adopted these features in his early villas, though he was soon to abandon them.[5]

Houses using externally interesting geometrical shapes were among Nash's earliest villas. Three resolutely geometrical houses can be identified: Llanwysc, Sion House and Castle House. Castle House, a geometrical *tour de force* of triangular plan,

---

Ffig. 19 (*gyferbyn*) Filâu cynharaf Nash: llorgynlluniau a golygweddau. 1a-c, Foley House; 2a-c, Tŷ'r Priordy; 3a-b, Tŷ Sion; 4a-b, Glanwysg. A-Cyntedd; B-Ystafell fore; C-Ystafell fwyta; D-Ystafell ymneilltuo; E-Oriel.
Fig. 19 (opposite) *Nash's earlier villas: ground plans and elevations. 1a-c, Foley House; 2a-c, Priory House; 3a-b, Sion House; 4a-b, Llanwysc. A - Hall; B - Morning-room; C - Dining-room; D - Drawing-room; E - Gallery.*

Ffig. 20 Foley House: prif olygwedd a golygweddau'r cefn a'r ochrau.
Fig. 20   Foley House: principal, rear and side elevations.

Ffig. 21 Tŷ'r Priordy: ôl-olygwedd (R. Colt Hoare, 1793).
Fig. 21 Priory House: rear elevation (R. Colt Hoare, 1793).

eu geometreg, yn arbennig ei hoffter o faeau allwthiol neu amlonglog, gan gyrsiau llinyn ar wastad y llawr cyntaf, a chan y gegin danddaearol draddodiadol neu "wladaidd". Bu Nash yntau yn mabwysiadu'r nodweddion hyn yn ei filâu cynnar er iddo'n fuan eu hepgor.[5]

Ymhlith filâu cynharaf Nash ceid tai'n defnyddio ffurfiau geometraidd diddorol o'r tu allan. Gellir enwi tri thŷ penderfynol-eometraidd: Glanwysg (Llanwysc), Tŷ Sion (Sion House) a Thŷ'r Castell (Castle House). Cyn ystyried Tŷ'r Castell (Castle House), *tour de force* geometraidd trionglog ei gynllun, gwell aros tan y bennod nesaf. Cafodd Tŷ Sion (Sion House) ei enw, yn ôl pob golwg, o'r baeau aml-loriog amlonglog, yn ymwthio o'r tu blaen ac o'r tu ôl, a roddai i'r tŷ olwg groesffurf. Croesffurf oedd Glanwysg (Llanwysc) hefyd, gyda bae aml-loriog amlonglog yn wynebu tua afon Wysg a dyna'r fwyaf Tayloraidd o filâu Nash. Codwyd y tŷ dros islawr uchel, gyda rhesaid o risiau yn arwain at y brif fynedfa ar wastad y llawr cyntaf.

is best left to the following chapter for consideration. Sion House was apparently so named from the storeyed canted bays, projecting front and rear, which gave the house a cruciform appearance. Llanwysc was also cruciform, with a storeyed canted bay facing the Wye, and it was the most Taylorian of Nash's villas. The house was raised over a high basement with the principal entrance at first-floor level approached by a flight of steps.

It became increasingly fashionable for houses to be entered at ground-floor level, although basement services were still preferred. Nash contrived a series of houses which, while appearing to be entered at ground-floor level, actually concealed basement services from the front elevation, either by sinking them in pit (as at Priory House) or by building on a slope so that the basement offices were accommodated by the falling ground level (as at Sion House and Foley House). Foley House and Priory House were experimental. The kitchens were at basement level but both houses had small and

Daeth yn fwyfwy ffasiynol fynd i mewn i dai ar wastad y llawr isaf, er mai dewisach o hyd oedd ystafelloedd gwasanaeth islawr. Dyfeisiodd Nash gyfres o dai a oedd fel pe gellid mynd iddynt ar wastad y llawr isaf, ond a oedd mewn gwirionedd yn celu ystafelloedd gwasanaeth islawr o'r tu blaen, un ai trwy eu suddo mewn pydew (megis yn Nhŷ'r Priordy (yn Priory House)) neu drwy adeiladu ar lechwedd fel y ceid lle i'r ceginau islawr gan lechweddiad y tir (megis yn Nhŷ Sion (yn Sion House) ac yn Foley House). Arbrofol braidd oedd Foley House a Thŷ'r Priordy (Priory House). Ceid ceginau ar wastad yr islawr ond yr oedd i'r naill a'r llall esgyll gwasanaeth bychain a dinod ynghlwm wrth un ochr i'r tŷ. Cyfyngid ymwthiadau i fae amlonglog unllawr cul hynodol (dyledus i Taylor) yn wynebu'r ardd. Dylid cofio bod i'r tai hyn "du blaen", "tu ôl", ac "ochrau" eglur a phendant.

"FILÂU BLWCH"

Cam bychan ond er hynny penderfynol fu hwnnw a arweiniodd o dai a gynllunnid gydag isloriau cuddiedig at dai a hepgorai geginau islawr yn gyfangwbl, gan leoli'r gegin ac ystafelloedd gwasanaeth eraill mewn asgell guddiedig. Bu Cwrt Whitson (Whitson Court), Llanfechan a'r Ffynhonne yn arbrofion wrth gynllunio'r gwasanaethau. Yng Nghwrt Whitson (Whitson Court) o bobtu i'r tŷbrics diaddurn ceid cyrtiau gyda rhesi o stablau a gwasanaethau a tho cluniog a llwybr dan do (tebyg iawn i gelloedd y dyledwyr yng ngharchar Caerfyrddin), er bod y prif ystafelloedd gwasanaeth mewn islawr cuddiedig. Yr oedd i Lanfechan asgell wasanaeth ôl a greai "olwg dra chymen a chryno" i du blaen y tŷ, ond dinod oedd ochrau'r tŷ. Mae i'r Ffynhonne gegin islawr fowtiog, ond trefnid y gwasanaethau hefyd o amgylch cwrt cegin cuddiedig wrth *ochr* y tŷ, ynghudd dan lwyni. Dyna fyddai'r patrwm i filâu llwyddiannus a dyfeisgar

undistinguished service wings attached to one side of the house. Projections were confined to a narrow, distinctive, single-storey canted bay (owed to Taylor) at the garden elevation. These houses, it is important to note, had a clearly defined "front", "back" and "sides".

"BOX VILLAS"

It was a small but nevertheless decisive step which led from houses planned with hidden basements to houses which dispensed with basement kitchens altogether and placed the kitchen and other service-rooms in a concealed wing. Whitson Court, Llanfechan and Ffynone were experiments in planning the services. At Whitson Court the marshy ground necessitated a ground-floor kitchen. The severe brick house was flanked by courtyards with hipped, arcaded stable and service ranges (greatly resembling the debtors' block at Carmarthen gaol). Llanfechan had a *rear* service wing giving "a very neat and compact appearance" to the front but the sides of the house were undistinguished. Ffynone has a vaulted basement kitchen but the services were also arranged around a hidden kitchen courtyard at the *side* of the house concealed by shrubbery. This was to be the pattern for Nash's successful and innovative villas at Llanaeron and Llysnewydd.

There were two aspects to this change in planning. The overall four-sided symmetry of geometrical villas raised over a basement (like Llanwysc or Sion House) would have been sacrificed by the loss of one side to the offices. However, Nash's other early villas generally had a principal entrance front, and the rear elevation (as at Priory House) could be rather plain. On abandoning the basement offices, Nash also dispensed with a principal elevation and with the projections, especially the canted bays, which

Ffig. 22 (*gyferbyn*) Filâu diweddaraf Nash: cynlluniau a golygweddau. 1a-b, y Ffynhonne; 2a-b, y Llysnewydd; 3a-c, Plas Llannerch Aeron gyda chynlluniau (3b) y llawr isaf a (3c) y llawr cyntaf. A - Cyntedd; AA - Cyntedd mewnol; B - Ystafell fore; C - Ystafell fwyta; D - Ystafell ymneilltuo; E - Llyfrgell; F - Rhagystafell; G - Ystafell ymwisgo; H - Ystafell wely.

Fig. 22 (opposite) Nash's later villas: plans and elevations. 1a-b, Ffynone; 2a-b, Llysnewydd; 3a-c Llanaeron with (3b) ground-floor and (3c) first-floor plans. A - Hall; AA - Inner hall; B - Morning-room; C - Dining-room; D - Drawing-room; E - Library; F - Ante-room; G - Dressing-room; H - Bedroom.

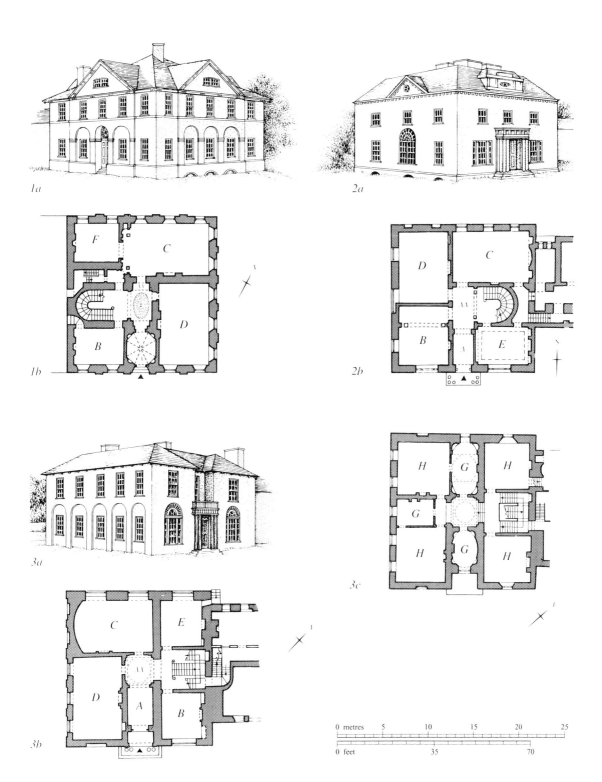

1a

2a

1b

2b

3a

3c

3b

| 0 metres | 5 | 10 | 15 | 20 | 25 |

| 0 feet | | 35 | | 70 | |

Ffig. 23a-b   Y Llysnewydd: golwg letraws ar olygweddau, tua 1890.
Fig. 23a-b   Llysnewydd: elevations viewed obliquely, ca. 1890.

Nash yn Llannerch Aeron ac yn y Llysnewydd.

Yr oedd dwy agwedd ar y newid cynllun hwn. Byddai neilltuo un ochr i'r ceginau wedi golygu aberthu cymesuredd pedeirochrog drwyddo draw'r filâu geometraidd a godwyd dros islawr (megis Glanwysg (Llanwysc)) neu Dŷ Sion (Sion House). Sut bynnag, yr oedd i filâu cynnar eraill Nash, fel rheol, brif fynedfa flaen, a gallai'r tu ôl (megis yn Nhŷ'r Priordy (yn Priory House)) fod braidd yn ddiaddurn. Wrth roi'r gorau i'r gwasanaethau islawr, cafodd Nash wared hefyd ar brif olygwedd ac ar yr ymwthiadau, yn enwedig y baeau amlonglog, a nodweddai'r filâu Tayloraidd. Nid oedd mewn gwirionedd unrhyw brif olygwedd i'r filâu blychaidd teirochrog newydd hyn. Yr oedd pob wyneb i'r tŷ yn gymesur ynddo'i hun, ond datgelid gwahaniaethau cynnil rhwng yr wynebweddau wrth rodio'r gerddi, yn enwedig pan syllid ar y ty ar letraws. Cynlluniwyd filâu cynnar Nash i'w gweld yn unionsyth, ond gwerthfawrogir ei filâu diweddarach orau o bersbectif lletraws.[6]

O'r herwydd mae'r mynedfeydd i'r filâu hyn yn eithaf disylw. Y Llysnewydd yn unig a feddai ar borth unllawr. Ym Mhlas Llannerch Aeron (yn dilyn Llanfechan) ceid portico mynediad cilfachog ac o'i ddeutu ffenestri Fenisaidd hynodol gyda phennau

marked the Taylorian villas. There was really no principal elevation to these new three-sided box-like villas. Each façade was symmetrical in itself but subtle differences between the elevations were disclosed as the grounds were perambulated, especially when the villa was viewed from an angle. Nash's early villas were designed to be seen directly, but his later villas are best appreciated from an oblique perspective.[6]

The entrances to these villas are accordingly understated. Llysnewydd alone had a single-storeyed porch. Llanaeron (following Llanfechan) had a recessed entrance portico flanked by distinctive Venetian windows with radial-fluted heads which were repeated on the rear elevation. At Ffynone the elevations were virtually identical: three-bay arcading was continued around the villa, projecting slightly, and the entrance was simply signalled by a circular fan-light.

The internal decoration of Nash's villas was generally rather restrained, although there were exceptions. The new parlour at Stoke Edith (Herefordshire) was apparently uncharacteristically elaborately decorated in the Adam manner. Nash preferred to use shapes rather than ornament to enhance a room. This was of course cheaper for a

Ffig. 24a-b   Plas Llannerch Aeron: golwg letraws ar olygweddau.
Fig. 24a-b   Llanaeron: elevations viewed obliquely.

Ffig. 25 Bwlch y Clawdd: ystafell fwyta.
Fig. 25   Temple Druid: dining-room.

ffliwtiog rheiddiol a welid drachefn ar du ôl y tŷ. Yn y Ffynhonne yr oedd yr wynebweddau fwy neu lai'n unwedd: amgylchynid y fila gan arcediad tri bae, a ymwthiai fymryn, a ffenestr gron oedd unig arwydd y fynedfa.

At ei gilydd, cynnil oedd addurnau mewnol filâu Nash, er bod eithriadau. Yn annodweddiadol, addurnwyd parlwr newydd yn Stoke Edith (Swydd Henffordd) yn dra chymhleth yn null Adam. Tueddai Nash braidd i ddefnyddio ffurfiau yn

Ffig. 26 *(gyferbyn)* Plas Llannerch Aeron: ystafell ymwisgo.
Fig. 26   (opposite)   Llanaeron: dressing-room.

client, and depended on the flair of the architect, but it anticipated Regency trends away from heavy decoration. Curved walls incorporating clever joinery exemplified Nash's appealing sophistication. At Temple Druid the apsidal-ended dining-room with its coved ceiling and curved doors has miraculously survived unaltered in an otherwise gutted house. Nash favoured certain geometric figures. The eight-sided ceiling above the square breakfast-parlour at Llanwysc was an early and unexpected use of the octagon which Nash employed in an increasingly complex way, notably at Ffynone for the rib-vaulted entrance lobby, for the towered rooms at Castle House, and for the

53

hytrach nag addurn i harddu ystafell. Yr oedd hyn wrth reswm yn rhatach i'r cwsmer, ac fe ddibynnai ar ddawn y pensaer, ond fe ragflaenai dueddiadau cyfnod y Tywysog-Raglaw i osgoi addurnau trymaidd. Yr oedd muriau crymlinol a ymgorfforai goedsaernïaeth fedrus, yn enghraifft dda o ddawn soffistigedig ddymunol Nash. Ym Mwlch y Clawdd (Yn Temple Druid), yn wyrthiol, bu i'r ystafell fwyta a'i phen cromgafellog, ei nenfwd cofog a'i drysau crymlinol, oroesi'n ddigyfnewid mewn tŷ a ddiberfeddwyd fel arall. Ymhoffai Nash mewn rhai ffigyrau geometraidd. Yr oedd y nenfwd wythochrog uwchlaw'r parlwr brecwasta yng Nglanwysg (yn Llanwysc) yn ddefnydd cynnar ac annisgwyl o'r wythongl a ddefnyddiodd Nash mewn dull mwyfwy cymhleth, yn enwedig yn y Ffynhonne ar gyfer y cyntedd mynediad asenfowtiog, ar gyfer yr ystafelloedd tyrog yn Nhŷ'r Castell (Castle House), ac ar gyfer y llyfrgell yn yr Hafod. Gallai dodrefn roi cyfle i driniaeth bensaernïol. Cynhwysai llyfrgell ddiflanedig y Llysnewydd gypyrddau llyfrau wythffenestrog mewn cilfachau, gyda philastrau a gysylltai â chornis y nenfwd cofog; cynllun a ddatgelai ddylanwad parhaol Syr Robert Taylor. Wrth gwrs, cynlluniwyd prif ystafelloedd y llawr isaf i greu argraff, ond yn ei filâu cryno byddai Nash yn aml yn cadw ei waith gorau ar gyfer ystafelloedd ymwisgo'r llawr cyntaf, y buasai eu ffurfiau anarferol a'u gwaith plastr cywrain (megis yn y Ffynhonne ac ym Mhlas Llannerch Aeron) yn hyfrydwch a gyfyngid i'w perchnogion yn unig.

Yr oedd filâu cryno Nash braidd yn debyg i flychau llawn syndodau, gan na ellid, o'r tu allan, ddyfalu cynllun a ffurfiau'r tu mewn. Yn wahanol i'r filâu Tayloraidd, ni fyddai golygweddau gwastad y filâu cryno hyn, yn amddifad o bob ymwthiad, yn awgrymu dim ynghylch natur a ffurf ystafelloedd y tu mewn. Yn aml, yr oedd y ffenestri'n ddall (megis ym Mhlas Llannerch Aeron) neu (megis yn y Llysnewydd) gallai ystafell dorri ar draws ffenestr a oedd yn brif nodwedd ffasâd. Er y gallai'r filâu hyn ymddangos yn eithaf helaeth o'r tu allan, ni cheid fel rheol ond pedair prif ystafell: ystafell giniawa, lolfa, ystafell frecwasta, a llyfrgell neu astudfa. Trefnid yr ystafelloedd hyn mewn modd neilltuol mewn perthynas â'r cyntedd a'r

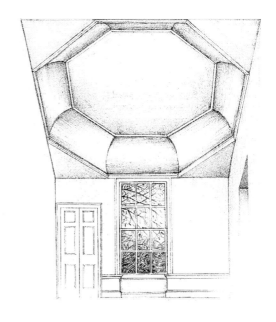

Ffig. 27 Glanwysg: ystafell fore.
Fig. 27 Llanwysc: morning-room.

library at Hafod. Furniture might provide an opportunity for architectural treatment. The vanished library at Llysnewydd incorporated recessed, octagonally-glazed bookcases with pilasters which connected with the cornice of the coved ceiling: a design which revealed the continuing influence of Sir Robert Taylor. The ground-floor principal rooms were of course designed to impress, but in his compact villas Nash often reserved his best work for the first-floor dressing-rooms whose unusual shapes and delicate plaster work (as at Ffynone and Llanaeron) would have been a private delight for their owners.

Nash's compact villas were rather like boxes full of surprises since the plan and shapes of the interior could not be deduced from the exterior. In contrast to the Taylorian villas, the flat elevations of these compact villas, shorn of all projections, provided no real clue to the nature and shape of the rooms within. Windows were frequently blind (as at Llanaeron) or (as at Llysnewydd) a room division might cut across a window which was the principal feature of a façade. Although these villas appeared quite large from the outside, there were generally

grisiau. Arweiniai'r cyntedd mynediad i ragystafell neu gyntedd mewnol, ac oddi yno'n unig y gellid canfod y "syndod" cywrain a chymhleth - grisiau cerrig cantilifrog gyda phileri haearn gyr a chanllawiau mahogani elinog, a oleuid oddi uchod gan ffynhonnell oleuni gudd.

Aeth grisiau Nash yn fwyfwy soffistigedig o ran cynllun a lleoliad. Yn ei filâu cynnar gwelid hwy ar unwaith yn y cyntedd mynediad, er y gellid dyfeisio elfen o syfrdandod, megis yng Nglanwysg (yn Llanwysc) lle ai'r ymwelydd i mewn dan y grisiau orielog. Eithr yn ei filâu diweddarach fe guddiai Nash y grisiau o'r golwg nes y byddid wedi croesi dau gyntedd. Yn y Ffynhonne ac yn y Llysnewydd yr oedd y grisiau yn hanner crwn; ym Mwlch y Clawdd (yn Temple Druid) ac yn Llanfechan ceid grisiau "dwbl" neu "fforchog". Ym Mhlas Llannerch Aeron gwelir o hyd risiau uwcholeuedig, deu-wrthdro Nash. Yma trefnwyd y goleuo'n fedrus: yr oedd golau cuddiedig yn gwahodd i'r pen-grisiau cyntaf, lle ymwahanai'r grisiau, ac o ba le datgelid pen-grisiau uwcholeuedig pellach ym mha le yr ail-ymunai dau rediad y grisiau. Cawsai cenhedlaeth gynharach o filâu eu cynllunio fel cylch o ystafelloedd, gyda'r naill ystafell yn arwain i'r llall.

only four principal rooms: dining-room, drawing-room, morning-room (or breakfast parlour) and library or study. These rooms were arranged in a particular way in relation to the hall and stair. The entrance hall led into an ante-room or inner-hall, and it was only from there that the elaborate "surprise" was visible - a cantilevered stone stair with wrought-iron balusters and a ramped mahogany handrail, and lit from above by a hidden source of light.

Nash's stairs became increasingly sophisticated in design and siting. In his early villas they were encountered directly in the entrance hall, although an element of surprise might still be contrived, as at Llanwysc where the visitor entered under the galleried stair. But in his later villas Nash witheld the stairs from view until two lobbies had been traversed. At Ffynone and Llysnewydd the stair was semicircular; at Temple Druid and Llanfechan there were "double" or "branching" stairs. Nash's top-lit, double-return stair survives at Llanaeron. Here the lighting was skilfully arranged: a hidden light source beckoned to the first landing where the stairs divided from which was revealed the top-lit landing where the flights rejoined. An earlier generation of villas had been planned in terms of a circuit of rooms, one room leading into another. Nash broke completely with this idea and planned the house around the stair so that it *had to be* encountered whichever room was entered. In this sense the stair became the key architectural feature of Nash's villas.

Preoccupation with architectural detail can lead to the neglect of the social aspects of the distinctive planning of these deceptively compact three-sided villas. The service-wing lay behind the fourth side of the villa and led to the kitchen courtyard; two-thirds of the villa was in fact hidden. There were generally only two points of contact between the service-wing and the main house: a green-baize door on the ground floor at the side of the cantilevered stair and another doorway on the first landing. The lower service-wing was to all intents and purposes self-contained and provided with a separate stair at the back of the main staircase. The service-wing contained kitchen, servants' hall, and rooms for housekeeper, maids and butler, and beyond lay the kitchen courtyard. The surviving courtyard at

Ffig. 28 Y Llysnewydd: llyfrgell.
Fig. 28 Llysnewydd: library.

Cefnodd Nash yn llwyr ar y syniad hwn a chynllunio'r tŷ o ddeutu'r grisiau fel y byddai'n *rhaid* dod i gwrdd â hwy ni waeth ba ystafell yr elid iddi. Yn yr ystyr hon, daeth y grisiau yn brif nodwedd bensaernïol filâu Nash.

Fe all ymgolli mewn manylion pensaernïol arwain i ddiystyru agweddau cymdeithasol

Llanaeron is plain but delightful with a covered way at the perimeter of the central cobbled yard providing access to the dairy, cheese-room, game-larder and (on the other side) laundry, boot-room and brew-house. It is difficult to assess the originality of Nash's assured handling of the planning of the services, but the inspiration was

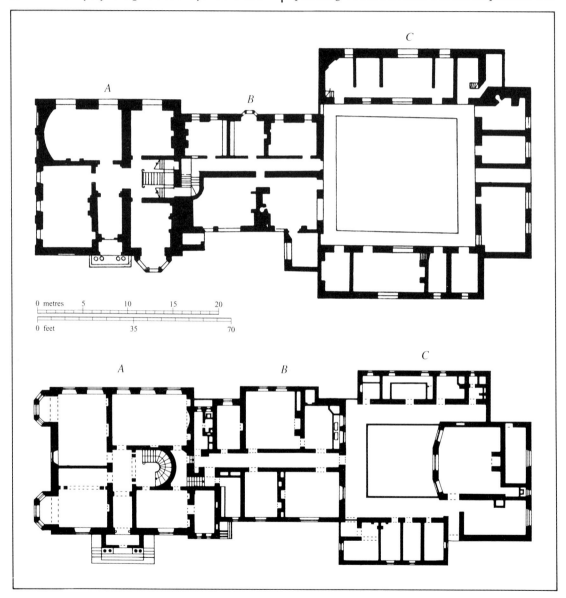

Ffig. 29 Cynlluniau bloc (a) Plas Llannerch Aeron a (b) y Llysnewydd, tua 1900. A - Tŷ; B - Swydd-dai; C - Cwrt y gegin.

Fig. 29 Block plans of (a) Llanaeron and (b) Llysnewydd, ca. 1900. A - House; B - Offices; C - Kitchen court.

Ffig. 30 Plas Llannerch Aeron: cwrt y gegin.
Fig. 30   Llanaeron: kitchen court.

cynllunio hynodol y filâu teirochrog twyllodrus gryno hyn. Safai'r asgell wasanaethau y tu ôl i bedwaredd ochr y fila ac arweiniai i gwrt y gegin: mewn gwirionedd, yr oedd deuparth y fila ynghudd. Fel rheol ni cheid ond dau fan cyswllt rhwng yr asgell wasanaethau a chorff y tŷ; drws baes gwyrdd ar y llawr isaf wrth ochr y grisiau cantilifro, a drws arall ar y pen-grisiau cyntaf. I bob diben yr oedd yr asgell wasanaethau isaf yn gyfan ynddi ei hun ac iddi risiau ar wahân wrth gefn y prif risiau. Cynhwysai'r asgell wasanaethau gegin, cyntedd i'r gweision, ac ystafelloedd i'r howsgiper, y morwynion a'r bwtler, a'r tu hwnt yr oedd cwrt y gegin. Y mae'r cwrt sy'n goroesi ym Mhlas Llannerch Aeron yn blaen ond yn hyfryd gyda llwybr dan do ar gyrion yr iard gerrig goblog

Italianesque and presumably derived from the loggia'd courtyards of the Palladian villa.

In those gentry houses raised over basement kitchen and services, the planning expressed a social fact of hierarchy, but it was an increasingly uncomfortable coexistence. Families complained, for example, of the noises and smells from the kitchen, and there were worries that conversations in the dining-room or drawing-room could be overheard

ganolog yn arwain i'r llaethdy, y cawsty, y pantri helfilod, ac (ar yr ochr arall) y golchdy, yr ystafell fwtsias a'r bracty. Anodd mantoli gwreiddioldeb ymdriniaeth hyderus Nash â chynllunio'r ystafelloedd gwasanaethau, ond o'r Eidal y daeth yr ysbrydoliaeth, a deuai, rhaid inni dybio, o gyrtiau logiaog y fila Baladaidd.

Yn y plastai hynny a godid dros gegin ac ystafelloedd gwasanaethau islawr, fe fynegai'r cynllunio ffaith o hierarchaeth gymdeithasol, ond yr oedd yn gydfodolaeth fwyfwy anghysurus. Achwynai teuluoedd, er enghraifft, ynghylch y twrw a'r ogleuon o'r gegin, a phoenid rhag ofn y gellid, dan y grisiau, glywed sgyrsiau yn yr ystafell giniawa neu'r lolfa. Yr oedd y gweision yno i weini ond yr oedd gofyn iddynt fod mor anymwthiol ag a ellid. Yn Llanaeron a'r filâu-blwch eraill darparodd Nash ateb pensaernïol i broblem y pellter cymdeithasol cynyddol rhwng teuluoedd y plasau a'u gweision. Yn gymdeithasol yr oedd gweision yn fwyfwy anweladwy a neilltuodd Nash hwy i asgell ar wahân, ynghudd ag y perffeithiasai Nash ei fersiwn ef o'r neo-glasurol gymesur ag iddi asgell wasanaethau gudd, fe gefnodd arni. Trafodir y newid hwn orau yng nghyd-destun perthynas adeiladau â thirwedd.

downstairs. Servants were there to serve but had to be as unobtrusive as possible. At Llanaeron and the other box-villas, Nash provided an architectural solution to the problem of the growing social distance between gentry families and their servants. Socially, servants were increasingly invisible and Nash segregated them in a distinct wing, screened from the approach to the house, which was rendered architecturally invisible. However, no sooner had Nash perfected his version of the symmetrical neo-classical villa with the hidden service wing than he abandoned it. This change is best discussed in the context of the relation of buildings to landscape.

Cyfeiriadau / References

1 William Drayton, *Tour through South Wales* (1782), South Carolina Historical Society (Charleston), MS. 34/629. Rwy'n ddyledus i Carl Lounsbury am y cyfeiriad hwn. I owe this reference to Carl Lounsbury.

2 Price to Beaumont, 8.iii.1798, PML, Coleorton Papers, MA 1581 (Price) 15.

3 NLW, Dolaucothi Correspondence V13/87; Francis Jones, "The Hand of Nash in West Wales", *Trans. Carm. Antiq. Soc.*, xxix (1939), 93-95; NLW, Dolaucothi MS. 8749.

4 Price to Beaumont, 18.iii.1798, PML, Coleorton Papers, MA 1581 (Price) 16; Theophilus Jones, *The History of Brecknockshire* (1903), iii, 162.

5 Marcus Binney, *Sir Robert Taylor* (1984). Ar/On "the idea of the villa", gw./see John Summerson, *The Unromantic Castle* (1990), 106-20.

6 Cf. Mark Girouard, *Life in the English Country House* (1978), 211.

Ffig. 31 *(uchod)* Grisiau'r gweision yn Foley House.
Fig. 31 (above) *Servants' stair at Foley House.*

Ffig. 32a-b *(uchod a gyferbyn)* Cwrt Whitson: grisiau geometraidd uwcholeuedig.
Fig. 32a-b (above and opposite) *Whitson Court: top-lit geometrical stair.*

Ffig. 33 *(uchod)* Plas Llannerch Aeron: grisiau deu-wrthdro.
Fig. 33 (above) *Llanaeron: double-return stair.*
Ffig. 34 *(gyferbyn)* Glanwysg: prif risiau yn arwain at oriel.
Fig. 34 (opposite) *Llanwysc: principal stair leading to gallery.*

Ffig. 35 Model tseini o Dŷ'r Castell.
Fig. 35   China model of Castle House.

ADEILADAU A THIRWEDD
BUILDINGS AND LANDSCAPE

Cyd-ddigwyddiad hynod a newidiodd fywyd Nash yn llwyr, fu i'w enciliad i Gaerfyrddin ddigwydd ar adeg hollbwysig yn natblygiad estheteg y pictiwrésg a dod ag ef i gysylltiad uniongyrchol â'i phrif hyrwyddwyr: Uvedale Price, Thomas Johnes, ac, yn dra thebygol, Payne Knight (cefnder Johnes). Gwnaethpwyd gwaith Nash dros Price a Johnes tra 'roedd Price a Payne Knight yn cyfansoddi testunau damcaniaethol allweddol y pictiwrésg, a ddatblygodd yr estheteg y tu hwnt i safiad arlunyddol Gilpin. Ymhlith y nodweddion tirweddol a edmygid gan brif bleidwyr y pictiwrésg yr oedd (yn ôl crynodeb ardderchog Jay Appleton) "garwedd, gweadedd, afreoleidd-dra, anghymesuredd, amrywiaeth, cuddio rhannol, yr annisgwyl, ac yn arbennig yr argraff mai'n naturiol y digwyddai popeth, er y gallai fod mai dyfais wneud ydoedd". Ystyrrid tirweddau naturiol llawer o Gymru a'r Gororau fel rhai cynhenid bictiwrésg ond yr oedd perthynas gymwys adeiladau a thirlun yn bwnc dyrys a fyddai'n mynd â holl sylw Nash. Sylwodd Price fod Nash " yn bell iawn o fod yn gaeth i annibyniaeth ei gelfyddyd ond yn dymuno ei huno â golygfa." Oherwydd ei ddyddiad a'i gysylltiadau mae i waith Nash bwysigrwydd arbennig ac arbrofol. Yr oedd tri adeilad allweddol y gellir, yn ffodus, eu dyddio'n fanwl.[1]

TY'R CASTELL (CASTLE HOUSE)

Byddai cyfarfyddiad Nash ac Uvedale Price yn neilltuol bwysig. Bu hyn tua 1790, flynyddoedd lawer ynghynt nag a dybir fel arfer ac ymhell cyn cyhoeddi *Essay on the Picturesque* Price yn 1794. Yr oedd Price, mae'n debyg trwy ddylanwad Thomas Johnes, wedi darbwyllo bwrgeisiaid Aberystwyth i brydlesu iddo ddarn o dir comin ar bwys y môr ac adfeilion y castell ar gyfer encilfa haf. Gwnaed y brydles gan mlynedd namyn un yn 1788 ar yr amod y dylid codi tŷ o fewn dwy flynedd ynghyd â gardd neu dir plesera a heol gerbydau lydan. Gohiriodd

It was a remarkable coincidence, which profoundly changed Nash's life, that his retreat to Carmarthen should have occurred at a crucial point in the development of the picturesque aesthetic and brought him in direct contact with its leading champions: Uvedale Price, Thomas Johnes and, very probably, Payne Knight (who was Johnes's cousin). Nash's work for Price and Johnes occurred while the key theoretical texts of the picturesque were being formulated by Price and Payne Knight and developed the aesthetic beyond Gilpin's painterly position. The landscape qualities admired by the protagonists of the picturesque included (in Jay Appleton's admirable summary) "roughness of texture, irregularity, asymmetry, variety, partial concealment, the unexpected, and particularly the impression that everything was of natural occurrence, even though it might be artificially contrived." The natural landscapes of much of Wales and the Welsh border were considered intrinsically picturesque but the appropriate relation of buildings to landscape was a difficult problem which was to preoccupy Nash. Nash "is very far from being bigotted to the independence of his art", observed Price, "but wishes to unite it with scenery". Nash's work, because of its date and associations, has a special and experimental significance. There were three key buildings which, fortunately, can be dated closely.[1]

CASTLE HOUSE

Nash's meeting with Uvedale Price was to be particularly significant. Their encounter took place about 1790, several years earlier than is usually supposed and well before the publication of Price's *Essay on the Picturesque* (1794). Price, probably through the influence of Thomas Johnes, had persuaded the Aberystwyth burgesses to grant him a portion of common land next to the sea and castle ruins for a summer retreat. The ninety-year lease

Ffig. 36 Aberystwyth tuag 1793 â Thŷ'r Castell (canol), a'r bont (ar y blaen) cyn ei ail-adeiladu.
Fig. 36 Aberystwyth about 1793 with Castle House (centre), and the bridge (foreground) before rebuilding.

Price y gwaith adeiladu ac, fel y daeth ei gynlluniau am fila ger y dŵr yn fwy uchelgeisiol, cafodd ganiatad gan y cwrt lît i gwblhau'r tŷ erbyn mis Mai 1794. Nifer o flynyddoedd wedyn cydnabu Price fod ei "ffansi at adeiladu yn Aberystwyth" wedi'i gadael hi'n fain iawn arno yn ariannol.

Mae'n dra ffodus fod gennym adroddiad Price ei hun ynghylch y tŷ a'i leoliad ac o ymwneuthur Nash ag ef.[2] Dewiswyd y safle oherwydd ei olygfeydd, "y tonnau'n torri ar y creigiau cyfagos", a "chadwyn faith y mynyddoedd pell gyda'u brenhines yr Wyddfa uwchlaw hwynt". Ar y cychwyn meddyliodd Uvedale Price am godi "dwy neu dair ystafell fechan fach, a chefais gynllun gan saer coed cyffredin o Gymro". Yna soniwyd wrth Price am Nash (a oedd mae'n debyg yn adeiladu Tŷ'r Priordy (Priory House) ar gyfer Elizabeth Johnes). Awgrymodd Nash godi adeilad helaethach "ond tipyn o bensaernïaeth sgwâr". Ond mynnodd Price y dylid lleoli'r tŷ mewn dull hollol benodol ac meddai wrth Nash:

> *Mynnwn fod yn rhaid nid yn unig i rai o'r ffenestri ond hefyd i rai o'r ystafelloedd wynebu i gyfeiriad*

was made in 1788 with the condition that a house was to be built within two years as well as a garden or pleasure ground and a wide carriage drive. Price delayed building and in 1791, as his plans for a marine villa became more ambitious, he was given leave by the court leet to complete the house by May 1794. Several years later Price acknowledged that his "fancy for building at Aberystwith" had left him financially "pinched and squeezed".

It is very fortunate that we have Price's own account of the house and its siting and Nash's involvement with it.[2] The site was chosen for its views, "the waves breaking against the near rocks", and the "long chain of distant mountains with their monarch Snowdon at their head". Uvedale Price first thought of running up "two or three nutshells of rooms, and got a plan from a common Welch carpenter". Then Nash (who was probably building Priory House for Elizabeth Johnes) was mentioned to Price. Nash proposed building a larger house, "but a square bit of architecture". However, Price required that the house should be sited in a quite specific way, and he told Nash:

neilltuol, a bod yn rhaid iddo ei drefnu yn ei ddull gorau; eglurais iddo'r rhesymau paham [fod raid] ei adeiladu mor agos i'r graig, a dangosais iddo effaith y blaendir toredig a'i linell amrywiol, a sut drwy hynny y cysylltid y blaendir â'r creigiau yn yr ail dir, o'r hyn y collid y cyfan pe gosodid y tŷ ymhellach yn ôl. Dyna wrth gwrs iaith arlunio; mewn geiriau eraill, iaith y pictiwrésg.

Ateb Nash i ofynion Price fu fila deirochrog ddyfeisgar - "tŷ ffantastig ar ffurf gaerog"[3] wedi'i osod ar union fin y traeth. Dengys dyluniadau cyfoes sut y bu i eometreg y tŷ fod yn drech, fel rheol, na'r arlunwyr naïf a geisiau ei ddarlunio, er

I must have not only some of the windows *but some of the* rooms *turned to particular points, and that he must arrange it in his best manner; I explained to him the reasons why I [must have it] built ... so close to the rock, shewed him the effect of the broken foreground and its varied line, and how by that means the foreground was connected with the rocks in the second ground; all of which would be lost by placing the house further back.*

This was of course the language of painting - in other words, of the picturesque.

Nash's solution to Price's requirements was an ingenious three-sided villa - "a fantastic house in the castellated form" sited on the very edge of the shore.[3] Contemporary drawings reveal how the geometry of the house generally defeated the naïve artists who tried to depict it, although a china model (possibly a house-warming present) is in fact quite a successful simplified three-dimensional

Ffig. 37 Tŷ'r Castell: dyluniad wedi'i ailgreu.
Fig. 37   Castle House: reconstruction drawing.

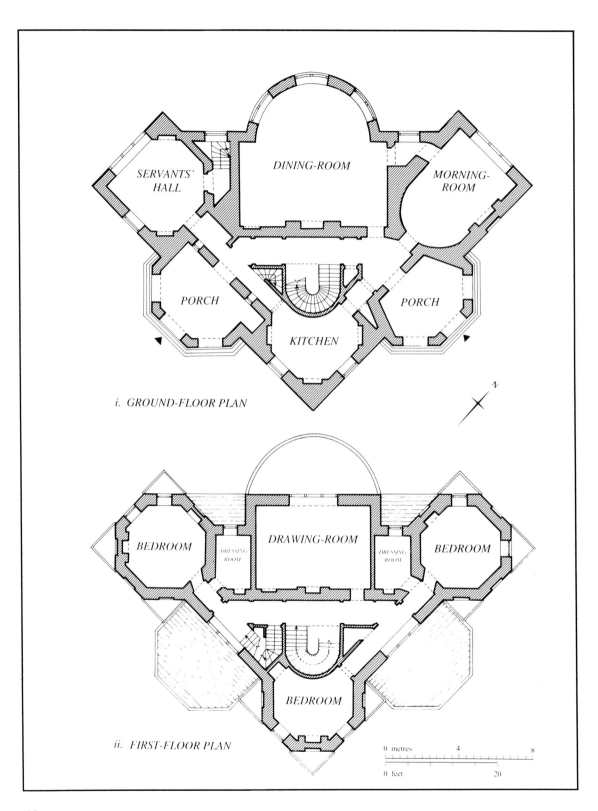

SERVANTS'
HALL

DINING-ROOM

MORNING-
ROOM

PORCH

KITCHEN

PORCH

i. GROUND-FLOOR PLAN

N

BEDROOM

DRESSING
ROOM

DRAWING-ROOM

DRESSING
ROOM

BEDROOM

BEDROOM

ii. FIRST-FLOOR PLAN

0 metres   4   8

0 feet   20

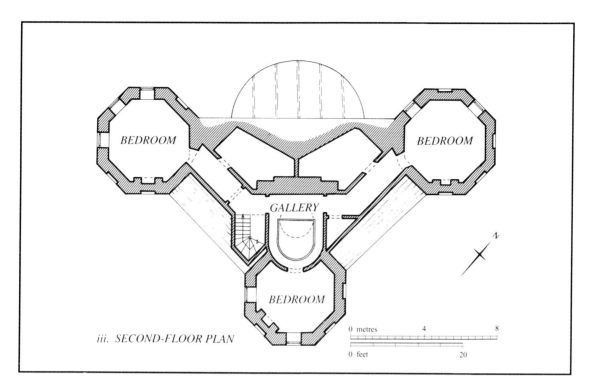

BEDROOM

BEDROOM

GALLERY

BEDROOM

iii. SECOND-FLOOR PLAN

0 metres   4   8

0 feet   20

Ffig. 38 Tŷ'r Castell: cynlluniau wedi eu hailgreu.
Fig. 38 Castle House: reconstructed plans.

bod model tseini ohono (anrheg, efallai, i ddathlu cwblhau'r tŷ) mewn gwirionedd yn atgynhyrchiad tri dimensiwm syml a llwyddiannus o'r tŷ. Dymchwelwyd Tŷ'r Castell (Castle House) yn 1897 ond yn ffodus gellir olrhain cynlluniau a golygweddau cywir o ddyluniadau a wnaed ar gyfer newidiadau i'r tŷ ar ganol y ganrif ddiwethaf.

Arbrawf geometraidd rhyfedd oedd Tŷ'r Castell (Castle House), ym mha un y gellid canfod nifer o ffurfiau newydd a rhyfeddol. Trionglog oedd cynllun y tŷ gyda thri thŵr wythonglog, yn ymgodi o seiliau sgwâr, yn y conglau. Lle'r ymunai'r sgwâr a'r wythongl cuddid yr ymwthiadau gan gonglau pyramidaidd rhyfedd; hynodwedd y bu i Nash ei ddefnyddio'n ogystal ar fwtresi Eglwys Tyddewi. Yr oedd dwy ochr unffurf, pob un â phorth wedi ei osod rhwng tyrau, yn wynebu'r de a'r dwyrain. O du'r môr, i'r gorllewin, câi balconi dros fae hanner crwn allwthiol ei gysgodi gan ganopi hemisfferaidd beiddgar heb unrhyw beth i'w weld yn ei gynnal.

O ran arddull, Gothig cynnil oedd tŷ tyrog Nash.

representation of the house. Castle House was demolished in 1897 but fortunately accurate plans and elevations can be derived from drawings made for the mid-nineteenth-century alterations to the house.

Castle House was a strange geometrical experiment in which numerous novel shapes could be found. The house was triangular in plan with three octagonal towers, rising from square bases, at the angles. The projections at the junction between square and octagon were masked by strange pyramidal "broaches"; an idiosyncratic detail which Nash also used on the buttresses at St. Davids Cathedral. Two identical elevations, each with a porch set between towers, faced south and east. On the western sea-side a balcony over a projecting semi-circular bay was protected by an audacious hemispherical canopy without apparent means of support.

Stylistically Nash's towered house was a restrained Gothic. The fenestration was varied, but

Ffig. 39 Tŷ'r Castell: golygweddau wedi eu hailgreu.
Fig. 39   Castle House: reconstructed elevations.

Amrywiol, ond nid Gothig, oedd y ffenestri. Cynhelid parapedi'r tyrau gan gorbelau ond nid oedd iddynt masicoladiadau na chreneliadau. Eithr o ddeutu'r tŷ safai gwyldyrau caerog bychain, ac arweiniai rhodfa i adfeilion y castell (eiddo Thomas Johnes) - hoff destun synfyfyrion addolwyr y pictiwrésg.

Yr oedd geometreg bensaernïol ddiddorol a newydd yn rhan o soffistigedigrwydd pensaernïol neo-glasurol. Cawsai nifer o dai trionglog eu hawgrymu (ymhlith ffigyrau geometraidd eraill) ac adeiladwyd ychydig mewn gwirionedd, er i'r rhan fwyaf o'r cynlluniau aros yn arddangosiadau dyfeisgarwch damcaniaethol.[4] Yn ddiddorol, amlygai tŷ trionglog Nash o hyd ddylanwad y fila Dayloraidd yn y baeau unllawr amlonglog a ffurfiai'r mynedfeydd, ac yn y bwa ymwthiol mawr a addurnid bellach â chanopi. Nid oedd y cynllun efallai'n hollol hwylus ac yr oedd nifer o ffurfiau anhwylus yn weddill, i'w cuddio gan gypyrddau, unwaith y trefnid y prif ystafelloedd a'r grisiau. Y tu mewn i'r tŷ y peth mwyaf ar y llawr isaf oedd yr ystafell fwyta urddasol a'r bwa ymwthiol yr oedd Price "wedi ei drefnu'n wych". Islaw oriel, arweiniai grisiau hanner crwn uwcholeuedig i lolfa orielog ac i brif ystafelloedd gwely'r llawr cyntaf; yr oedd ystafelloedd y gweision yn y groglofft. Wrth gwrs fe wynebai'r prif ystafelloedd y gwahanol olygfeydd - y môr, y castell a'r clogwyni - ond diogelid cymesuredd y tu allan gan nifer o ffenestri deillion. Plesiwyd Price gan gwblhad y gwaith: yr oedd Nash "wedi dyfeisio'r tŷ yn dda i'w ryfeddu ar gyfer y safle, ac mae ei ffurf yn dra amrywiol gan imi fynnu iddo osod yr ystafelloedd i wynebu gwahanol olygfeydd."

Y BWTHYN: CASTELLNEWYDD EMLYN

Yn ôl Uvedale Price, cawsai Nash ei daro'n fawr iawn gan y rhesymau esthetaidd dros leoliad Tŷr Castell (Castle House), "ni feddyliasai erioed amdanynt o'r blaen". Ni welir unrhyw reswm dros amau hanes Price o gyflwyniad Nash i'r pictiwrésg, ac yn fuan iawn daeth ail dŷ pictiwrésg a grewyd gan Nash yn unig - y Bwthyn yng Nghastellnewydd Emlyn.

Codwyd y Bwthyn yn 1792 ar gyfer "Madam"

not Gothic. The tower parapets were supported by corbels but lacked machicolations and crenellations. The house was flanked, however, by small castellated watch-towers and a walk led into the castle ruins (owned by Thomas Johnes) - a favourite subject for contemplation by devotees of the picturesque.

Interesting and novel architectural geometry was part of neo-classical architectural sophistication. Several triangular houses had been proposed (among other geometrical figures), and a few actually built, though most designs remained theoretical demonstrations of ingenuity.[4] Interestingly Nash's triangular house still showed the influence of the Taylorian villa in the single-storeyed canted bays which formed the entrances and in the large projecting bow which was now embellished with a canopy. The plan was perhaps not wholly convenient and a number of awkward shapes were left over, to be concealed by cupboards, once the principal rooms and stair had been arranged. Internally the ground floor was dominated by the grand dining-room with the projecting bow which Price had "magnificently ordered". A top-lit semicircular stair overlooked by a gallery led to the first-floor balconied drawing-room and the principal bedrooms; the servants' rooms were in the attic storey. The principal rooms were, of course, orientated to the different view-points - the sea, the castle and the cliffs - but numerous blind windows preserved the symmetry of the exterior. The final result pleased Price: Nash had "contrived the house most admirably for the situation, and the form of it is extremely varied from my having obliged him to turn the rooms to different aspects."

THE COTTAGE, NEWCASTLE EMLYN

According to Uvedale Price, Nash had been "excessively struck" by the aesthetic reasons for the siting of Castle House which he "had never thought of before". There seems no reason to doubt Price's account of Nash's initiation into the picturesque, and a second picturesque house followed shortly which was solely Nash's creation - The Cottage, Newcastle Emlyn.

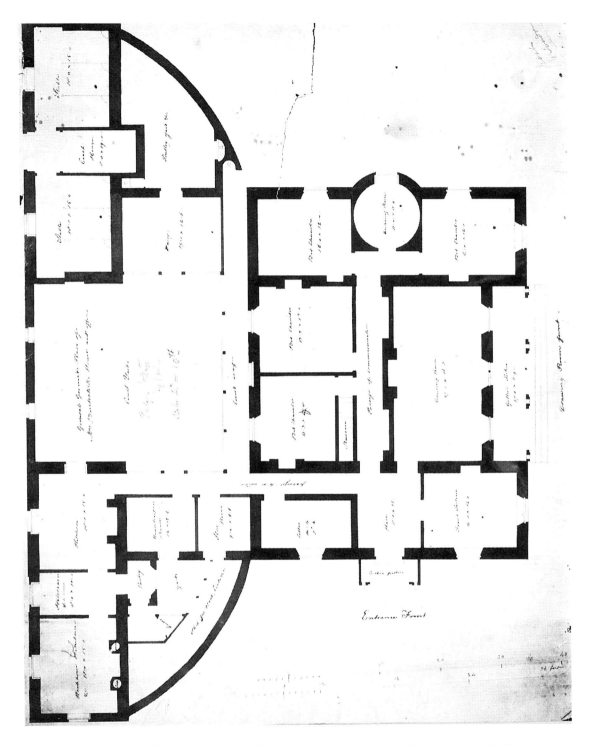

Ffig. 40 Bwthyn Emlyn: "Llorgynllun Cyffredinol o Dŷ a Swydd-dai Mrs. Brigstock" gan Nash.

Fig. 40 Emlyn Cottage: Nash's "General Ground Plan of Mrs. Brigstock's House and Offices".

Ffig. 41 Bwthyn Emlyn: ffrynt yr ardd, tua 1832.
Fig. 41 Emlyn Cottage: garden front, ca. 1840.

Brigstocke, gweddw tirfeddiannwr o Sir Gaerfyrddin, fel tŷ gwraig weddw a chartref i'w merched dibriod. Mae'r dogfennau sydd a wnelont â'r Bwthyn yn rhyfeddol o gyflawn, er mai'n ddiweddar y daethant i'r golwg. Fel dogfen unigryw, goroesodd "Llorgynllun cyffredinol tŷ a swydd-dai Mrs Brigstock", a dengys yn eglur fod y Bwthyn yn fersiwn gynnar o gynllunio fila gyfunedig yr oedd Nash bryd hynny yn dechrau ei ddatblygu. Safai'r swydd-dai y tu ôl i'r tŷ, yn guddiedig gan ysgubiad y muriau pedeirannol, a threfnid rhesiadau'r gegin a'r stablau o gwmpas cwrt gyda llwybr dan do a ragflaenai'r drefn ym Mhlas Llannerch Aeron.

O ran arddull y mae'r Bwthyn yn neilltuol ddiddorol gan mai ef oedd tŷ afieithus-Othig cyntaf Nash. Rhoes ef iddo driniaeth Othig ryfeddol a awgrymai le hynafol wledig addas i ymddeol iddo. Agwedd fwyaf trawiadol Y Bwthyn oedd y tu blaen

parhad ar dudalen 76

The Cottage was built in 1792 for "Madam" Brigstocke, the widow of a Carmarthenshire landowner, as a dower-house and a home for her unmarried daughters. The documentation relating to The Cottage is remarkably full, although it has only recently come to light. "The general ground plan of Mrs. Brigstock's house and offices" uniquely survives, and clearly shows that The Cottage was an early version of integrated villa planning which Nash was then beginning to develop. The offices lay behind the house, concealed by the sweep of quadrant walling, and the kitchen and stable ranges were grouped around a courtyard with a covered way which anticipated the arrangement at Llanaeron.

The Cottage is stylistically particularly interesting since it was Nash's first exuberantly Gothic house. Nash gave it a remarkable Gothic treatment suggesting a place of ancient rusticity

continues on page 76

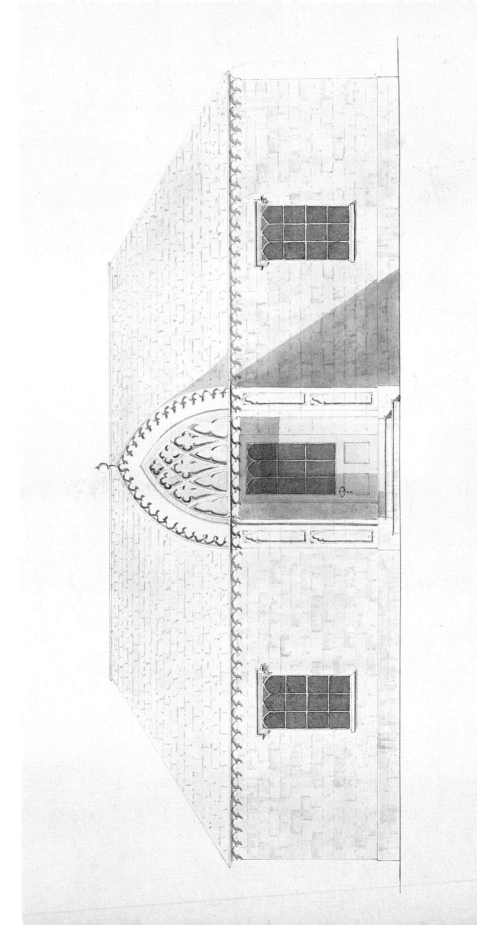

Ffig. 42 Y Bwthyn, Castellnewydd Emlyn: cynllun ar gyfer ffrynt y fynedfa othig.
Fig. 42   The Cottage, Newcastle Emlyn: design for the gothic entrance front.

Ffig. 43 Golygfa o'r Hafod yn dangos llysieudy hir a llyfrgell wythonglog Nash.
Fig. 43 View of Hafod showing Nash's long conservatory and octagonal library.

â phortico a ymgodai gyfuwch â dau lawr ond a safai rhwng dau "bentis" unllawr atodol â tho ar oleddf. Rhaid cofio bod Nash bryd hynny'n gweithio ar Eglwys Tyddewi ac mae'r blaenolwg yn anorfod yn atgoffa dyn o gorff eglwys rhwng ystlysau. Dengys dyluniadau cyfoes fod y prif du blaen yn creu argraff drawiadol o'i weld o'r heol, yn ôl y bwriad tebygol, er fod blaenolygon mwy preifat y pentisiau ynghudd. Pren oedd y portico Gothig, a ffurfid gan dri bwa pigfain, a gyda thalog uwchben. Yn nhu blaen y fynedfa i'r pentis gorllewinol yr oedd porth coed Gothig tra thrawiadol, gydag agoriadau lawnsed hirgul drwodd ac â "thympanwm" rhwyllog uwchben y drws. Gwnaed dyluniad teg arlliwiedig ar gyfer Mrs. Brigstocke (gan Pugin, o bosibl) a dengys ef y porth ar ei fwyaf atyniadol, rhwng dwy ffenestr Othig. O du'r ardd, y tu blaen dwyreiniol rhwng dwy ffenestr Othig bellach, ymwthiai bwa ystafell wisgo gron o'r pentis. Yr oedd y porth a'r amrywiaeth o drumliniau wrth gwrs yn arwyddion bwthyn a gyfunwyd gan Nash â chornis Gothig a redai dan y bargod a thros y porth a'r portico.

Mae'n rhesymol tybio y dewiswyd safle'r Bwthyn yn ofalus, gan y codwyd y tŷ ar safle a brydleswyd ar gyfer oes ei drigolion yn unig, er fod y Brigstockiaid yn meddu ar diroedd helaeth. Ar draws Afon Emlyn, wynebai'r Bwthyn adfeilion castell y tu hwnt i'r ardd. Byddai'r ffenestri dalennog hynod hyd at lawr y lolfa yn caniatáu i'r Brigstockiaid grwydro o'r tŷ trwy'r portico fowtiog i'r ardd i fwynhau golygfa gyfansawdd. Gellid dweud bod castell a theml yn wynebu ei gilydd ar draws yr afon yn null tirluniau delfrydol yr Eidal yn yr ail ganrif ar bymtheg a edmygid gan bleidwyr y pictiwrésg, er na ellid bod yn sicr a fwriedid yn ymwybodol i'r effaith fod yn llythrennol yn "bictiwrésg", hynny yw "fel darlun".

YR HAFOD

A Nash yn cynllunio'r Bwthyn cafodd ail gyflwyniad i ddamcaniaeth y pictiwrésg gan Thomas Johnes, cefnder Payne Knight, a fyddai yn y man yn arwain i ddulliau sylfaenol newydd o gynllunio.

Bu'r Hafod yn arbrawf mewn tirlunio pictiwrésg

appropriate for retirement. The most striking aspect of The Cottage was the porticoed front which rose through two storeys but was flanked by single-storey lean-to "penthouses" with sloping roofs. It has to be remembered that Nash was then working on St. Davids Cathedral and the elevation is irresistibly reminiscent of a nave between aisles. Contemporary drawings show that the principal front was impressive from the road, as was no doubt intended, though the more intimate penthouse elevations were hidden. The Gothic portico was timber and formed by three pointed arches with a pediment over. The entrance front in the west penthouse had a very striking Gothic timber porch with tall, pierced, lancet openings and with a traceried "tympanum" set over the doorway. The coloured and shadowed fair drawing made for Mrs. Brigstocke (possibly by Pugin) shows the porch at its most inviting set between two Gothic windows. On the east garden front between two further Gothic windows the bow of a circular dressing-room projected from the penthouse. The porch and the varied roof lines were, of course, the indicia of a cottage which Nash unified by a Gothic cornice that ran under the eaves and over the porch and portico. It is reasonable to suppose that the site of The Cottage was carefully chosen since, although the Brigstockes were extensive landowners, the house was built on a site leased only for the lives of its occupants. The Cottage looked across the River Emlyn towards the ruins of a castle beyond the garden. The remarkable floor-level sash-windows of the drawing-room allowed the Brigstockes to wander from the house through the vaulted portico into the garden to enjoy a composed view. In a way castle and temple faced each other across the river in the manner of the seventeenth-century Italian ideal landscapes admired by the champions of the picturesque, although one cannot be sure if the effect was consciously intended to be literally picturesque, that is, "like a picture".

HAFOD

As Nash was designing The Cottage, he received a second introduction to picturesque theory from Thomas Johnes of Hafod, Payne Knight's cousin,

Ffig. 44 Bwthyn Emlyn: ffrynt mynedfa gothig gyda Mrs. Brigstocke a'i merched (Peter Richard Hoare, tua 1800).

Fig. 44 Emlyn Cottage: gothic entrance front with Mrs. Brigstocke and daughters (Peter Richard Hoare, ca. 1800).

ar raddfa aruthrol yn golygu planigfeydd enfawr a chreu cyfres bwysig o rodfeydd gydag ambell nodwedd bensaernïol. Chwalwyd yr Hafod ond erys ei safle a wna eto argraff ar yr ymwelydd gan fod prif elfennau'r tirlun yn aros. Safai'r Hafod ym mhen draw cwm hir mewn safle amffitheatraidd, gyda llethrau coediog uchel y cwm yn ildio i ffridd ac ambell dŷ "mynyddwr". I sawl cyfoeswr, 'roedd lleoliad y plasty hwn, ymhell o unrhyw le o bwys, yn ymddangos yn rhyfeddol, ac 'roedd ansawdd Gothig neu "Fwraidd" ei bensaernïaeth yn mwyhau'r argraff o bictiwresgrwydd estron.[5]

Gwaith Thomas Baldwin o Gaerfaddon oedd yr

which was eventually to lead to radical forms of planning.

Hafod was an experiment in picturesque landscaping on an enormous scale, involving massive plantations and the creation of an important series of walks with architectural incident. Hafod House has been demolished but its site is identifiable and still makes an impact on the visitor because the major landscape elements remain. Hafod was sited at the end of a long valley in an amphitheatrical setting, the high wooded sides of the valley giving way to open pasture and the occasional habitations of "mountaineers". The location of this mansion,

Hafod ond harddwyd ef yn sylweddol gan Nash. Ymddangosodd cysylltiad Nash â'r Hafod yn ddirgelwch braidd, yn enwedig gan na fu i'w waith oroesi'r tân a ysodd y tŷ yn 1807. Awgrymwyd, yn ddigon credadwy, y gall fod ffantasi Gothig Turner o'r Hafod mewn cywair arddunol, oherwydd tebygrwydd i Corsham Court, yn cyfleu cynllun o eiddo Nash i ailadeiladu'r tŷ. Pa un bynnag, ar ôl y tân ymddengys i Johnes wrthod gwaith Nash: "Diflannodd pob adeilad o eiddo Nash, a 'does fawr o golled meddwch. Ond saif adeiladau Baldwin yn gadarn. Fe'i defnyddiaf eto, gan ei fod yn ŵr galluog ac, mi gredaf, yn ŵr gonest."[6]

Yn y tân darfu am ddogfennau yn ogystal ag am bensaernïaeth, er i Nash gadw "gwahanol gynlluniau ar gyfer Mr Johnes yr Hafod" sydd bellach ar goll. Ni ellir bellach ddarganfod llawn faint cynlluniau Nash ar gyfer yr Hafod, y rhai a awgrymwyd a'r rhai a wireddwyd. Eithr gallwn fod yn sicr iddo ychwanegu'r llysieudy a'r llyfrgell i'r tŷ ac adleoli'r tai gwasanaethau. Ni wyddys i sicrwydd ba beth fu cyfraniad Nash i bensaernïaeth yr ardd, ond gellir tybio mai ei waith ef fu trawsgyfleu, yn ddeheuig a llwyddiannus, byrth trefdai garwaidd Mrs. Coade ("o gynllun Bedford Square safonol") i fynedfeydd y gerddi (1793).

Yn ffodus gellir dyddio ymwneuthur Nash â'r Hafod yn bendant yn ôl dyddiadur cefnder Thomas Johnes, sef John Johnes, Dolaucothi. O'r ffynhonnell freintiedig hon gwyddom i gysylltiad Nash gychwyn yn 1791 ac iddo ddarfod yn ôl pob golwg yn 1794. Cyfarfu John Johnes droeon â Nash yn yr Hafod yn 1791 a 1792 pan fu Nash yn amlwg yn trafod cynlluniau ar gyfer y tŷ gyda Thomas Johnes. Yn olaf, ar y chweched o Ionawr 1793, "Cytunodd Mr Nash a Mr Johnes ynghylch yr ychwanegiadau newydd i dŷ'r "Hafod" ac aethpwyd ati bythefnos yn hwyrach, pan ddechreuodd Mr Johnes ddymchwel ei swydd-dai er mwyn adeiladu ei ychwanegiad newydd". Ymddengys i Nash dreulio llawer o amser yn yr Hafod yn goruchwylio'r gwaith a oedd ymhell ar y blaen erbyn Tachwedd 1793, pan edrychai Thomas Johnes ymlaen at gael gwared o'r gweithwyr a ystyriai yn "griw o gnafon".[7]

Cafwyd gwared ar y swydd-dai fel y gellid dodi llyfrgell wythochrog a llysieudy hir cysylltiedig ar

remote from any settlement of consequence, seemed extraordinary to many contemporaries, and the Gothic or "Moorish" quality of its architecture compounded the impression of outlandish picturesqueness.[5]

Hafod House was the work of Thomas Baldwin of Bath but it was embellished by Nash in a significant way. Nash's connection with Hafod has seemed rather mysterious, especially as his work did not survive the fire which gutted the house in 1807. It has been plausibly suggested that Turner's Gothic fantasy of Hafod in sublime mood, because of a resemblance to Corsham Court, may represent a scheme by Nash for rebuilding the house. However, after the fire Johnes seems to have rejected Nash's work: "All Nash's buildings are gone, and you will say no loss. But Baldwin's stand firm. I shall employ him again, for he is an able and, I believe, an honest man."[6]

Documentation as well as architecture perished in the fire, though Nash preserved "different designs for Mr. Johnes of Hafod" which are now lost. The full scope of Nash's Hafod designs, both proposed and executed, is beyond recovery. But we can be certain that he added the conservatory and library to the house and resited the service range. Nash's contribution to the garden architecture is uncertain, but the deft and successful transposition of Mrs. Coade's rusticated townhouse doorways (of "standard Bedford Square design") into garden entrances (dated 1793) was presumably his work.

Fortunately, the chronology of Nash's involvement at Hafod can be established from the diary of Thomas Johnes's brother-in-law, John Johnes of Dolaucothi. From this privileged source we know that Nash's connection began in 1791 and probably ended in 1794. John Johnes met Nash several times at Hafod in 1791 and 1792 when Nash was evidently discussing plans for the house with Thomas Johnes. Finally, on 6 January 1793, "Mr. Nash and Mr. Johnes agreed about ye new additions to Hafod house", and work began a fortnight later, when "Mr. Johnes began pulling down his offices for to build his new addition". Nash seems to have spent much time at Hafod supervising the work, which was well advanced by November 1793 when Johnes looked forward to getting rid of the workmen

ochr dde-ddwyreiniol y plasty. Gellir gweld y trefniant yn eglur mewn braslun bychan o eiddo C. R. Cockerell (mab cyd-ddisgybl Nash) a ymwelodd â'r Hafod yn 1806 a chael y llyfrgell "yn ystafell dda ond yn fursennaidd fel y mae pethau Nash fel arfer". Dyry Malkin y cyfrif gorau o'r ystafelloedd: "Mae'r llyfrgell yn wythochrog a daw'r goleuni i mewn o'r gromen. O'i chwmpas ceir oriel, a saif ar bileri o farmor amryliw. Mae'r pileri hyn yn dra gwych, yn y dull Dorig". Arweiniai un o'r wyth ochr i lysieudy 165 troedfedd o hyd yn llawn "planhigion estron prin a rhyfeddol" a cherfluniau. Trwy ddefnyddio gwydr drych yn nrws y llyfrgell ceid trompe l'oeil fel pan fyddai drws y llyfrgell ar gau a drws y llysieudy ar agor, "yr oedd yr olygfa o ben draw'r llysieudy, drwy'r llyfrgell, i ail lysieudy ymddangosiadol, bron yn gwireddu disgrifiad ffuglen o swyngyfaredd."[8]

Dangosir ychwanegiadau Nash i'r Hafod (gyda phont ffansïol nas adeiladwyd erioed) ar eu gorau mewn paentiad dyfrlliw, a briodolir i Frederick Nash, yr amheuir ei fod efallai'n darlunio'r adeiladu a awgrymwyd. Yr oedd yr wythongl mewn dull Gothig tebyg i'r tŷ, gyda chwpola uchel a godai uwchben gwaith Baldwin. Yr oedd i'r llysieudy gwydr dri phafiliwn cyfatebol i rai'r tŷ. Ffurfiai mur ôl y llysieudy sgrîn grenelog gyda meindyrau bob hyn a hyn a guddiai'r swydd-dai y ceir cipolwg ar eu simneiau myglyd y tu ôl iddi.

Mae sylwadau ychwanegol Malkin o beth diddordeb. Honnodd i gymesuredd y llyfrgell gael ei ddifetha gan gamddealltwriaeth nid annhebygol: "Byddai cymesuredd yr ystafell hon yn berffaith, pe na bai'r pileri beth yn rhy fawr o ystyried eu huchder. Digwyddodd hyn o achos rhyw gamfesuriad gan y gweithwyr pan adeiladwyd yr ystafell". Yn ail, honnodd Malkin mai Johnes oedd "ei bensaer ei hun". Barn yr esthetegwyr oedd y gallai dyn deallus a gawsai addysg ryddfrydig fod yn dirluniwr neu'n bensaer iddo'i hun. Rhaid tybio y gallodd Nash wireddu'n bensaernïol gynllun a amlinellwyd gan Johnes a olygai newid anghymesur beiddgar ym mhrif du blaen yr Hafod yn ogystal â ffurf arloesol ar gynllunio. Ni ellir amau, er hynny, nad Nash a fu'n gyfrifol am brif nodwedd y cynllun, er fe all na fynegodd ei darddiad uniongyrchol i Johnes. Yr oedd yr

whom he found a "set of rascals".[7]

The offices were removed so that an intercommunicating octagonal library and long conservatory could be placed on the south-east side of the mansion. The arrangement can be clearly seen in a thumbnail sketch-plan by C. R. Cockerell (son of Nash's fellow pupil), who visited Hafod in 1806 and found the library "a good room but affected as Nash's things generally are". Malkin provides the best account of the rooms: "The library is an octagon and the light is admitted from the dome. It is surrounded by a gallery, supported by pillars of variegated marble. These pillars are very magnificent, of the doric order." One of the sides of the octagon led into a conservatory 165 feet long filled with "rare and curious exotics" and sculpture. The use of mirror-glass in the library door gave a *trompe l'oeil* so that when the library door was closed and the conservatory door open "the view from the end of the conservatory, through the library, into a seeming second conservatory, almost realizes the fictitious description of enchantment."[8]

Nash's additions to Hafod (with a fanciful bridge never constructed) are shown to great effect in a nineteenth-century watercolour, attributed to Frederick Nash, which probably draws on the original design proposal. The octagon was in a Gothic style similar to the house, with a high cupola which rose above Baldwin's work. The glass conservatory had three pavilions complementary to those of the house. The rear wall of the conservatory formed a crenellated screen punctuated by "minarets" which concealed the offices whose smoking chimneys can be glimpsed behind.

Malkin's additional remarks are of some interest. He claimed that the proportions of the library had been spoiled by a not improbable mis-understanding: "The symmetry of this room would be perfect, if the pillars were not somewhat too large for their height. This circumstance arose from some error of measurement among the workmen, when the room was building." Secondly, Malkin asserted that Johnes was "his own architect". It was the aestheticians' view that a person with intellect and a liberal education could be his own landscaper or architect. Presumably Nash was able to realize architecturally a scheme outlined by Johnes which

wythongl uwcholeuedig gydag asgell gysylltiedig yn ganolog i gynlluniau carcharau Nash yn Aberteifi ac yn Henffordd er ei bod yn newyddbeth yng nghyd-destun cartref. Parhaodd y trefniant yn hoff gan Nash a chynhwyswyd ystafelloedd wythochrog yn arwain i lysieudai mewn tai tra gwreiddiol, yn arbennig yng Nghastell Luscombe (tua 1800), yng Nghastell Shanbally (tua 1818), ac yng Nghastell East Cowes Nash ei hun.[9]

NASH A'R PICTIWRÉSG

Yn yr Hafod cefnwyd ar gynllunio cymesur, ffurfiol y fila neo-glasurol a bu'n gynnig cyntaf ar drefnu tŷ pictiwrésg yn agored ac anghymesur. Dangosai Tŷ'r Castell (Castle House) i Nash bwysigrwydd creu cyswllt rhwng y tŷ a'r tirlun ond lluniwyd y tŷ, er ei fod yn fentrus, o fewn traddodiad cytbwysedd cymesur. Caniatâi syniad y Bwthyn arbrofi â llinellau afreolaidd ac ymdriniaeth Othig fwy afieithus. Dadlennodd yr Hafod botensial golygweddau anghymesur a chynllunio anffurfiol yn ogystal â defnydd rhwyddach a mwy dethol o arddull bensaernïol. Daeth rhyddid o lyffetheiriau cymesuredd pan sylweddolwyd nad oedd rhaid mewn tŷ pictiwrésg guddio'r swydd-dai (megis yn yr Hafod) ond y gellid eu cynnwys yn y golygweddau. Gweddnewidiwyd yr hyn a fuasai'n anhawster cynllunio yn gyfle artistig.

Eisoes rhagwelasai Uvedale Price y llwybr a arweiniai o'r fila glasurol a swydd-dai cuddiedig wedi eu gosod mewn parcdir agored:

> Mae llawer o olwg unig a moel tai yn ddyledus i'r arfer o guddio'n llwyr, neu hyd yn oed o gladdu, yr holl swydd-dai dan ddaear, a hynny er mwyn rhoi urddas i'r plasty ... nid oes dim sy'n cyfrannu cymaint i roi amrywiaeth ac urddas i'r prif adeiladau â phresenoldeb a chyfeiliant, fel petai, y rhannau israddol yn eu gwahanol raddau.

Yn ogystal, gan fod afreoleidd-dra'r Gothig yn fwy dymunol na chymesuredd clasurol, felly darluniai cestyll yn anad dim effeithiau urddasol a phictiwrésg pensaernïaeth afreolaidd, lle byddai'r prif adeilad "yn edrych yn falch dros y gwahanol wrthgloddiau, y tyrau is, y pyrth a'r atodiadau i'r prif adeilad".[10]

involved a daring asymmetrical change to the main front of Hafod as well as an innovative form of planning. There can be no doubt, however, that the principal feature of the design was owed to Nash, although he may not have told Johnes its immediate source. The top-lit octagon with intercommunicating wing was central to Nash's prison designs at Cardigan and Hereford although it was novel in a domestic context. The arrangement remained a favourite with Nash and octagonal rooms leading into conservatories were incorporated into houses of great originality, notably at Luscombe Castle (ca.1800), Shanbally Castle (ca.1818), and Nash's own East Cowes Castle.[9]

NASH AND THE PICTURESQUE

Hafod was a decisive break with the formal, symmetrical planning of the neo-classical villa and a first attempt at the open, asymmetrical arrangement of the picturesque house. Castle House had shown Nash the importance of relating a building to the landscape, but the house, though adventurous, was still conceived in the tradition of symmetrical balance. The idea of the Cottage sanctioned experimentation with irregular lines and a more exuberant Gothic treatment. Hafod revealed the potential of asymmetrical elevations and informal planning as well as a freer and more eclectic use of architectural style. Freedom from the constraints of symmetry came when it was realised that in a picturesque house the offices need not be concealed (as at Hafod) but could be incorporated into the elevations. What had been a problem of planning was transformed into an artistic opportunity.

The route away from the classical villa with hidden services in an open parkland setting had been anticipated by Uvedale Price:

> Much of the naked solitary appearance of houses is owing to the practice of totally concealing, nay sometimes of burying, all the offices underground, and by way of giving consequence to the mansion ...nothing contributes so much to give variety and consequence to the principal buildings, as the accompaniment and, as it were, the attendance of the inferior parts in their different gradations.

Cawsai potensial pictiwrésg y castell neo-Othig modern ei ragflaenu yn Downton (Swydd Henffordd) gan Payne Knight yn y 1770au. Bu hwn yn rhagflaenydd eithriadol genre y byddai Nash yn ei ddatblygu'n rymus iawn. Yn ôl pob golwg, gwelwyd cynllun cyntaf Nash ar gyfer plasty caerog yng Nghwrt Llangain (yn Kentchurch Court) yn 1795, cartref John Scudamore (un o'r ynadon heddwch y cyfarfu Nash â hwy pan oedd yn adeiladu carchar Henffordd), er mai diffygiol yw dogfennau'r comisiwn, ac fe newidiwyd llawer ar y tŷ.

Erbyn hyn yr oedd bwriad Nash yn amlwg uchelgeisiol ac 'roedd yn barod ar gyfer y newid o godi filâu i godi plastai y tu allan i Gymru. Daeth y cyfle pan gyfarfu Nash â Humphry Repton, y tirluniwr profiadol, ac yna gydweithio ag ef. Yn ôl y cyfrif a roes Repton ei hun, ar y cychwyn gwelai eu partneriaeth fel cyfarfyddiad meddylfrydau, er yr ymddengys i Nash ystyried eu cydweithrediad

Moreover, as the irregularity of Gothic was more pleasing than classical symmetry, so castles supremely illustrated the grand and picturesque effects of irregular architecture in which the main building "proudly overlooked the different outworks, the lower towers, the gateways and the appendages to the main building".[10]

The picturesque potential of the modern neo-Gothic castle had been anticipated at Downton (Herefordshire) by Payne Knight in the 1770s. This was an exceptional precursor of a genre which Nash was to develop in a formidable way. Nash's first design for a castellated mansion seems to have been at Kentchurch Court in 1795, the home of John Scudamore (one of the justices of the peace whom Nash encountered when building Hereford gaol), though the commission is inadequately documented and the house much altered.

Nash's project by this time was clearly ambitious and he was ready for the transition from villa-

Ffig. 45-46   (*uchod ac ar y dudalen nesaf*) Castell Penarlâg: cynlluniau arfaethedig Nash.
Fig. 45-46   (above and on the opposite page) *Hawarden Castle: Nash's proposed designs.*

fel cyfle masnachol. Cyfarfu Repton a Nash am y tro cyntaf yn 1792 yn Stoke Edith (Swydd Henffordd) lle 'roedd Edward Foley wedi'u galw'n wenieithus "dynion mwyaf peniog Lloegr" a allai ysgubo pawb o'u blaen ped ymunent â'i gilydd. Erbyn 1795 yr oedd mab Repton, John Adey Repton, yn gweithio fel brasluniwr i Nash ar ddyluniadau Eglwys Gadeiriol Tyddewi ac mae'n debyg i'r bartneriaeth, a fyddai'n parhau am bum mlynedd, ddyddio o'r flwyddyn honno. O'r ddau ŵr Repton oedd y mwyaf llwyddiannus, gyda phractis sefydledig, a gallodd gyflwyno Nash nid yn unig i gwsmeriaid newydd ond i botensial pensaernïol amrediad o dirweddau gwahanol. Honnir ym Memoir anghyhoeddedig Repton iddynt "gynllunio ac adeiladu tai ar y cyd" ond gwelir dylanwad cryfach Nash yn hawdd yn eu comisiynau cynnar. Fila ar lan afon oedd Point Pleasant (1796), yn amlwg wedi'i seilio ar Dŷ'r Castell (Castle House), gyda'r ystafelloedd wedi eu halinio ar gyfer gwahanol olygfeydd; fila dair ochrog oedd Southgate Grove (1797) yn cynnwys ystafell wythonglog a llyfrgell a arweiniai, megis yn yr Hafod, i lysieudy gan guddio swydd-dai. Erbyn chwalu'r bartneriaeth, gweithiai Nash ar dai o ansawdd mwyfwy darluniadol ac a oedd, chwedl Summerson, yn hanfodol yn fersiynau "ffrwydredig" o filâu Cymreig Nash; hynny yw, yn allanol, mynegid elfennau nodweddiadol y cynllun, gan gynnwys y swydd-dai, mewn dulliau newydd

building to country-house building outside Wales. The opportunity came with Nash's meeting and subsequent collaboration with Humphry Repton, the experienced landscape designer. It is clear from Repton's own account that he initially saw their partnership as a meeting of minds, although Nash seems to have regarded their collaboration more as a business opportunity. Repton and Nash had first met in 1792 at Stoke Edith (Herefordshire), where Edward Foley had flattered them as the "cleverest men in England" who might carry all before them if they joined forces. By 1795 Repton's son, John Adey Repton, was working as a draughtsman for Nash on the St. Davids Cathedral drawings, and the partnership, which was to last five years, probably dates from that year. Repton was the more successful of the two with an established practice and he was able to introduce Nash not only to new clients but also to the architectural potential of a range of different landscapes. Repton's unpublished Memoir claims that they "jointly designed and built houses" but the dominant influence of Nash is readily apparent in their early commissions. Point Pleasant (1796) was a riverside villa clearly based on Castle House with the rooms aligned to different prospects; Southgate Grove (1797) was a three-sided villa incorporating an octagonal room and a library which, as at Hafod, led into a conservatory and concealed the service range. By the time the partnership was dissolved, Nash was working on

a chyffrous. Y cerrig milltir fu Luscombe (1800) - fila gaerog afreolaidd - a Cronkhill (1802) - fila Eidalaidd yn swydd Amwythig.[11]

Saif gwaith diweddarach Nash y tu allan i Gymru. Yng Nghymru ni ellir crybwyll ond Cwrt Tre'rdelyn a Chastell Penarlâg fel enghreifftiau o'i waith aeddfetach; ni weithredwyd erioed gynlluniau ar gyfer ailwampio Nanteos. Ailgynlluniwyd ac ailwynebwyd y tŷ neo-glasurol yng Nghwrt Tre'rdelyn (yn Harpton Court) ac atodwyd iddo fracty crenelog a thyrog llygad-dynnol newydd. Gwnaethpwyd castell Penarlâg yn hollol gaerog a darluniai'n berffaith y crynhoi a'r cynllunio a blediwyd gan Uvedale Price, lle gellid cynnwys gwasanaethau yng ngolygweddau'r castell pictiwrésg afreolaidd. Ni ellir trafod y datblygiadau hyn yn fanwl yn y bennod hon.

houses of an increasingly pictorial quality which, as Summerson has put it, were essentially "exploded" versions of Nash's Welsh villas; that is, the characteristic elements of the plan, including the services, were expressed externally in novel and exciting ways. The landmarks were Luscombe (1800) - an irregular castellated villa - and Cronkhill (1802) - the Italianate villa in Shropshire.[11]

Nash's later work lies outside Wales. In Wales we can only cite Harpton Court and Hawarden Castle as examples of his mature work; designs for remodelling Nanteos were never executed. The neo-classical house at Harpton Court was replanned and refaced and given a new eye-catching towered and crenellated brewhouse. Hawarden Castle was fully castellated and perfectly illustrated the massing and planning advocated by Uvedale Price in which services could be incorporated in the elevations of the irregular picturesque castle. Detailed consideration of these developments lies beyond the scope of this chapter.

Cyfeiriadau / References

1 Jay Appleton, "Some thoughts on the geology of the picturesque", *Journal of Garden History*, 6 (1986), 279; Price to Beaumont, 8.iii.1798, PML, Coleorton Papers, MA 1581 (Price) 15.

2 Price to Beaumont, 18.iii.1798, PML, Coleorton Papers, MA 1581 (Price) 16.

3 *The Cambrian Directory* (1800), 65.

4 Damie Stillman, *English Neo-classical Architecture* (1988), i, 151.

5 M. Andrews, *The Search for the Picturesque* (1989), 144-51; C. Kerkham, "Hafod: paradise lost", *Journal of Garden History*, 11 (1991), 207-16.

6 John Harris, *The Artist and the Country House* (1979), 350; R. Moore-Colyer, *A Land of Pure Delight* (1992), 218.

7 NLW, Dolaucothi MSS. 8746-8; Moore-Colyer, *Land of Pure Delight*, 95.

8 RIBA, MS. Coc/9/1; David Watkin, *The Life and Work of C. R. Cockerell* (1974), 5; B. H. Malkin, *The Scenery, Antiquities, and Biography of South Wales* (1804), 349-60.

9 Summerson, *Life and Work of John Nash*, ffigau./ figs. 5 & 10, pl. 18B.

10 Uvedale Price, *Essays on the Picturesque* (1810), ii, 180.

11 G. Carter, P. Goode, K. Laurie, *Humphry Repton, Landscape Gardener, 1752-1818* (1982), 72-6, gyda darnau o *Memoir* Repton /with extracts from Repton's *Memoir* (B.L., Add. MS. 62112, ff. 84-88), 135; D. Whitehead, "John Nash and Humphry Repton: An encounter in Herefordshire 1785-98", *Trans. Woolhope Naturalists' Field Club*, xlvii (1992), 221-32; John Summerson, *Life and Work of John Nash*, 34-42.

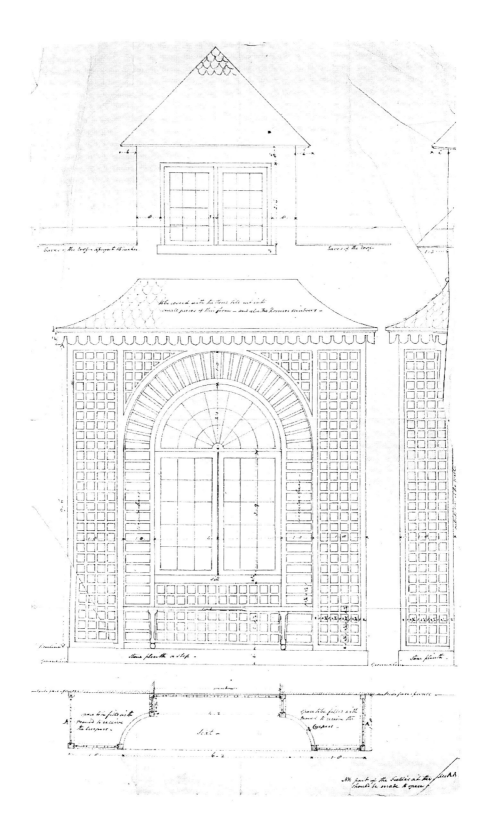

CYMHLETHDODAU PICTIWRÉSG

PICTURESQUE INTRICACIES

Golygai adeiladu plastai nid yn unig godi filâu a thai uchelwyr ond hefyd y lluestai, y bythynnod a'r mân adeiladau eraill a âi gydag ystâd. Cynlluniodd Nash borth llidiard Gothig ar gyfer Plas Cleidda yn 1790, ond mae'n amheus iawn ai ef a adeiladodd, yr adeg hon, y bythynnod braidd yn ansoffistigedig a bras eu manylion a briodolwyd iddo yn Llannerch Aeron ac mewn mannau eraill. Er hynny, yr oedd Nash - dan ddylanwad Uvedale Price, rhaid tybio - yn amlwg yn meddwl ynghylch priodoleddau gweledol ac adeileddol y bwthyn pictiwrésg yn gynnar. Yn 1798 arddangosodd Nash yn yr Academi Frenhinol ddau gynllun ar wahân, y naill a'r llall ar gyfer "tri bwthyn a thair mynedfa". Y tebyg yw mai cynlluniau oedd y rhain ar gyfer bwriad i godi clystyrau o fythynnod yn y Gororau yn High Legh (Swydd Gaerllleon) neu yn Attingham (Swydd Amwythig) er na wireddwyd mo syniad pentref pictiwrésg nes adeiladu'r "pentrefan" enwog yn Blaise yn 1810.[1]

Yr oedd pob adeilad yn "wneuthuredig" ond, o ran pensaernïaeth, y bwthyn dan gysgod coed oedd y mwyaf "naturiol" pan oedd yn ganlyniad ymehangu rywsut rywsut gan greu ffurfiau cymhleth ac afreolaidd dymunol. Eithr ni tharddai bythynnod pictiwrésg o un ffynhonnell werinol, ond cyfuniad oeddynt o ddefnyddiau a ffurfiau a ddewisid o achos eu garwedd a'u ffurf afreolaidd: ffenestri cromen, cluniau, ferandâu, toeau gwellt, teils cerrig ac yn y blaen. Mewn llythyr at Syr George Cornewall yn 1804, eglurodd Nash bwysigrwydd cymhlethdod pictiwrésg trwy ddisgrifio manylion ffenestr yr awgrymid ei gosod mewn bwthyn yng Nghwrt Mochros (Moccas Court), a gynhwysai fargod o gerrig diddos a fyddai'n cysgodi'r ffenestr a hefyd yn taflu cysgod diddorol. Â Nash yn ei flaen i achwyn sut:

Ffig. 47 (*gyferbyn*) Nanteos: ffenestr Bwthyn arfaethedig y Garddwr.
Fig. 47 (opposite) *Nanteos: window of proposed Gardener's Cottage.*

Country-house building involved not only villas and great houses but the lodges, cottages and other minor buildings which were the accoutrements of an estate. Nash designed a Gothic gateway for Clytha House in 1790, but it is very doubtful that he built at this period the rather unsophisticated and coarsely detailed cottages which have been attributed to him at Llanaeron and elsewhere. However Nash, presumably influenced by Uvedale Price, was clearly thinking about the visual and constructional qualities of the picturesque cottage at an early date. In 1798 Nash exhibited at the Royal Academy two separate designs each for "three cottages and three entrances". These designs were probably for proposed cottage groups in the Welsh Marches at High Legh (Cheshire) or Attingham (Shropshire), though the idea for a picturesque village was not realized until the celebrated "hamlet" was built at Blaise in 1810.[1]

All buildings were "artificial" but the embowered cottage was the most "natural" architecturally when it was the result of haphazard growth giving pleasing irregular and intricate shapes. However, picturesque cottages were not derived from a single vernacular source but were an amalgam of materials and shapes selected for their qualities of roughness of texture and irregularity of form: dormers, hips, verandahs, thatch, stone tiles and so on. Nash, in a letter to Sir George Cornewall in 1804, explained the importance of picturesque intricacy by describing the proposed window details of a cottage at Moccas Court which incorporated projecting stone-tiled weather courses both to protect the window and to cast an interesting shadow. Nash goes on to complain how he had:

> the mortification daily to see these minutiae of cottages misunderstood, and very much of their good effect depends upon the right understanding of these details, they are meant to be essential parts of the construction & growing out of the necessity of the things themselves. When this principle is lost sight of they

y clwyfir fi'n feunyddiol i weld camddeall y manylion bythynnod hyn, a dibynna llawer o'u hargraff dda ar ddealltwriaeth gywir o'r manylion hyn, bwriedir hwynt i fod yn rhan hanfodol o'r adeiladwaith ac yn codi o reidrwydd y pethau hyn. Pan gollir golwg ar yr egwyddor hon deuant yn ymhongar ac yn ddim namyn addurniadau, ac nid oes dim sy'n fwy atgas.[2]

Yr oedd manylion pensaernïol bythynnod Nash yn ddefnyddiol yn ogystal â bod yn addurniadol. Yr oeddynt yno ar gyfer diben ymarferol ond yr oedd yn rhaid iddynt hefyd "fodloni meddwl" y gwyliwr. Golygai bodloni'r meddwl nid yn unig sylw i fanylion ond hefyd leoli gofalus fel y mynegid priodoleddau pictiwrésg bwthyn yn llawn. Dylid gosod bwthyn mewn safle o'r neilltu a gyfleai'r argraff gywir o "glydwch" (hoff air) heb guddio'i fanylion. Ni ddylid gosod clystyrau o fythynnod yn rhesi fel tai elusen ond dylid eu trefnu'n ofalus fel y câi'r gwyliwr wrth fynd heibio gipolwg ar y naill fwthyn arall fel y diflannai'r llall o'r golwg.

NANTEOS

Erbyn tua 1805, yr oedd gan Nash gyfradd osod o brisiau a godai am gynllunio bythynnod, lluestai a mân adeiladau eraill.[3] Rhaid tybio bod digon o waith ar gael ond ychydig o gynlluniau a gadwyd. Goroesiad eithriadol, felly, yw'r set o gynlluniau a dyluniadau persbectif lliwiedig ar gyfer clwstwr o adeiladau pictiwrésg yn Nanteos. Ni lofnodwyd y dyluniadau ond mae Nigel Temple a'u darganfu wedi eu priodoli'n argyhoeddiadol i swyddfa Nash, gan awgrymu eu bod yn bennaf yn waith George Repton.[4] Dengys dyfrnod 1813 y perthyn y cynlluniau i'r cyfnod ar ôl pentrefan Blaise. Cynhwysai'r adeiladau ddau luesty, llaethdy, a dau fwthyn, ac yn amlwg dychmygid hwy fel clwstwr ar safleoedd penodol. Aethpwyd cyn belled â gwneud dyluniad gweithredol ar gyfer bwthyn y garddwr, ond yn ôl pob golwg nid adeiladwyd mo'r clwstwr.

O ran arddull a chywair pâr gwrthgyferbyniol oedd y *Lluestai*. Yr oedd y lluest ar ffordd Pontarfynach yn ffurfiol-glasurol o ran arddull ac yn wythonglog o ran cynllun, a darluniwyd ef gyda mwg yn codi o simnai wedi ei chuddio dan ffurf wrn. Yr oedd y lluest ar ffordd Aberystwyth yn

become pretensious & mere appliqués than which nothing is more disgusting.[2]

The architectural details of Nash's cottages were both functional and decorative. They were there to serve a practical purpose but also had to "satisfy the mind" of the observer. Satisfying the mind involved not only attention to detail but careful siting so that the picturesque qualities of a cottage were fully expressed. A cottage should be placed in a secluded position which gave the right impression of "snugness" (a favourite word) without obscuring its detail. Groups of cottages were not to be placed in rows like almshouses but should be carefully arranged so that the passing observer would glimpse another cottage as one was lost to view.

NANTEOS

By about 1805, Nash had a set scale of charges for designing cottages, lodges and other minor buildings.[3] Presumably business was brisk but few designs have been preserved. The set of plans and coloured perspective drawings for a group of picturesque buildings at Nanteos is therefore an exceptional survival. The drawings are unsigned but their discoverer, Nigel Temple, has convincingly attributed them to Nash's office and has suggested that they are primarily the work of George Repton.[4] A watermark date of 1813 shows that the designs belong to the period after Blaise Hamlet. The buildings included two lodges, a dairy, and two cottages and were clearly conceived as a group with settled sitings. The gardener's cottage reached the stage of a working drawing but the group seems never to have been built.

The *Lodges* were a contrasting pair in style and mood. The lodge on the Devil's Bridge road was formal, classical in style and octagonal in plan, and depicted with smoke issuing from a chimney disguised as an urn. The lodge on the Aberystwyth road was rustic, informal and irregular; a note on the reverse of the drawing queries whether the roof is to be thatched or slated and if the columns supporting the verandah are to be fir "in the bark". This lodge and the gardener's and keeper's cottages have the versatile features familiar from Blaise Hamlet: prominent chimneys, hips and dormers,

Ffig. 48 Nanteos: golygwedd yr ardd gyda llysieudy.
Fig. 48   Nanteos: design for the garden elevation with conservatory.

arwaidd, anffurfiol ac afreolaidd; ar du chwith y dyluniad, ceir nodyn yn holi ai to gwellt ynteu to llechi fyddai'r to, ac a ddylai'r colofnau a fyddai'n cynnal y feranda fod yn golofnau ffynidwydd "yn eu rhisgl". Mae i'r lluest hwn ac i fythynnod y garddwr a'r ciper y nodweddion amrywiaethol hynny sy'n gyfarwydd o bentrefan Blaise: simneiau amlwg, cluniau a ffenestri cromen, ffenestri a phyrth ymwthiol, pentisiau a ferandâu a gynhelir gan golofnau garwaidd ac yn cysgodi seddau. Safai

parhad ar dudalen 92

projecting windows and porches, pentices and verandahs supported by rustic columns which sheltered seats. The *Gardener's Cottage* straddled the garden wall and its striking trellised window, with recessed seat protected by a canopy of patterned slates, was intended to be the architectural focus of the garden's grass walk. The overhanging thatch of the delightful octagonal *Dairy*, like its counterpart at Blaise Hamlet, sheltered a seat which followed the angles of the building. The dairy, like all the

continues on page 92

Ffig. 49 Nanteos: cynllun ar gyfer y dynesiad.
Fig. 49   Nanteos: design for the approach.

a

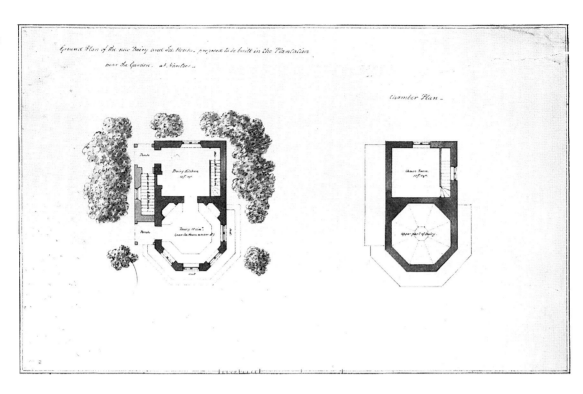

Ground Plan of the new Dairy and Ice House, proposed to be built in the Plantation near the Garden. at Nanteos.

Chamber Plan.

b

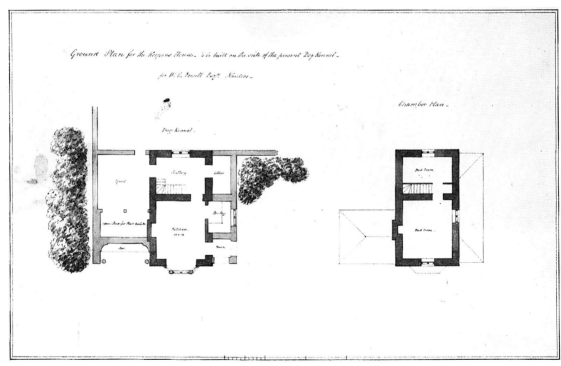

Ground Plan for the Keepers House, to be built on the site of the present Dog Kennel for W. E. Powell Esqr. Nanteos.

Chamber Plan.

c

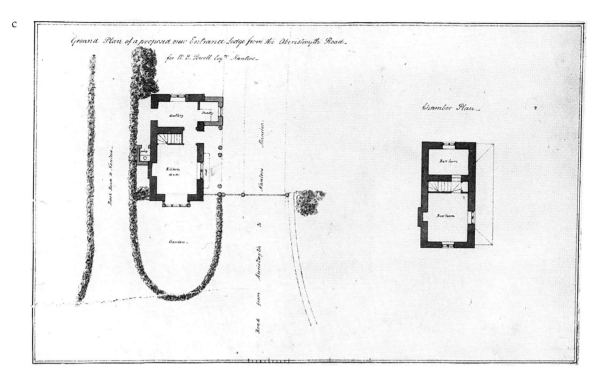

d

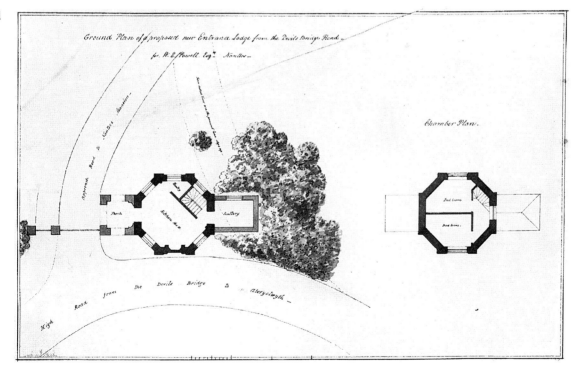

Ffig. 50 Nanteos: cynlluniau (a) Llaethdy a Thŷ Rhew; (b) Bwthyn y Ciper; (c) Lluesty ar ffordd Aberystwyth;
(ch) Lluesty ar ffordd Pontarfynach. Atgynhyrchir y golygweddau mewn lliw ar dudalennau 90-91.
Fig. 50 Nanteos: plans of (a) Dairy and Icehouse; (b) Keeper's House; (c) Lodge on the Aberystwyth road; (d) Lodge on the Devil's Bridge road. The elevations are reproduced in colour on pp. 90-91.

Ffig. 51 Cynlluniau ar gyfer adeiladau pictiwrésg yn Nanteos.
       (a) Llaethdy a Thŷ Rhew.
Fig. 51 Designs for picturesque buildings at Nanteos.
       (a) Dairy and Icehouse.

Ffig. 51 Cynlluniau ar gyfer adeiladau pictiwrésg yn Nanteos.
       (b) Bwthyn y Ciper.
Fig. 51 Designs for picturesque buildings at Nanteos.
       (b) Keeper's House.

Ffig. 51 Cynlluniau ar gyfer adeiladau pictiwrésg yn Nanteos.
   (c) Lluesty ar ffordd Aberystwyth.

Fig. 51 Designs for picturesque buildings at Nanteos.
   (c) Lodge on the Aberystwyth road.

Ffig. 51 Cynlluniau ar gyfer adeiladau pictiwrésg yn Nanteos.
   (ch) Lluesty ar ffordd Pontarfynach.

Fig. 51 Designs for picturesque buildings at Nanteos.
   (d) Lodge on the Devil's Bridge road.

Bwthyn y Garddwr o bobtu i fur yr ardd a bwriedid i'w ffenestr ddelltog drawiadol, gyda sedd mewn cilfach dan gysgod canopi o lechi patrymog, fod yn ganolbwynt rhodfa laswelltog yr ardd. Yr oedd bargod gwellt y *llaethdy* wythonglog hyfryd, fel ei debyg ym mhentrefan Blaise, yn cysgodi sedd a ddilynai onglau'r adeilad. Ni fwriedid i'r llaethdy, na holl adeiladau'r clwstwr hwn, fod yn hollol addurnol. Yr oedd yr ystafell wythonglog wedi ei thaclu fel llaethdy gyda'r "gegin" y tu ôl iddo, ac oddi tanodd, wrth droed grisiau, yr oedd tŷ rhew.

Ar wahân i ystyriaethau arddulliol, mae rheswm ychwanegol a chryf iawn dros dybio mai yn swyddfa Nash y paratowyd dyluniadau Nanteos. Penodwyd John Edwards, Rheola, cydweithiwr a chefnder Nash, yn stiward ystâd Nanteos yn 1814 ac yn fuan caniatawyd iddo awdurdod atwrnai. "Ni fu erioed ystâd wedi mynd â'i ben iddo gymaint" fu barn Edwards ar Nanteos, ac aeth ati i'w wella. Awgrymodd Edwards newidiadau yn y ffordd at Nanteos, cynigiodd y dylid torri llinell reolaidd y llwyni, a rhoes gyngor ynghylch llysieudy addas i'r plasty; lluniwyd gardd o fewn muriau, trefnwyd dyfrhau'r lawnt a gwnaethpwyd rhodfeydd graeanog. Rhaid bod dyluniadau Nanteos yn dyddio o 1814-17, yr adeg pan oedd Edwards yn rheoli'r ystâd; rhaid tybio bod y taliadau am y cynlluniau ynghudd yn y taliadau mawrion i Edwards a gofnodir yng nghyfrifon yr ystâd.

Cyflwynodd Edwards yr Uwchgapten Powell o Nanteos i Nash a'i gwahoddodd ef i Gastell East Cowes. "Yr wyf newydd weld Nash", ysgrifennodd Edwards at Bowell yn 1814, "a resynai nad ymunasoch a'i barti - fe gawsant, meddai, yr hwyl fwyaf erioed." Nes ymlaen addawodd Edwards i Bowell "geisio barn fy nghyfaill Nash ynghylch yr is-gapteiniaeth". Ceir yr argraff, er efallai'n annheg, fod Nash ac Edwards, yn ddeheuig wedi bachu cwsmer ac yn ei ddirwyn i mewn, ond y tro hwn ni laniasant mo'r pysgodyn. Aeth pethau'n chwerw rhwng Edwards a Phowell yn 1817 a rhoddwyd y gorau i gynllun Nanteos.[5]

JOHN EDWARDS A RHEOLA

Daw John Edwards â ni'n ôl i deulu Nash ac i Forgannwg. Er gwaethaf y gwahaniaeth oedran, yr

buildings in this group, was not intended to be purely ornamental. The octagonal room was fitted out as a dairy with the "kitchen" behind, and below it, reached by a flight of steps, was an icehouse.

Stylistic considerations apart, there is an additional and compelling reason for supposing that the Nanteos drawings were prepared in Nash's office. John Edwards of Rheola, Nash's associate and cousin, was appointed steward of the Nanteos estate in 1814 and shortly afterwards was granted power of attorney. "There never was an estate in such a dilapidated condition", was Edwards's judgement on Nanteos, and he set about improving it. Edwards suggested alterations in the approach to Nanteos, proposed breaking the regular line of the shrubbery, and advised on a conservatory appropriate to the mansion; a walled garden was constructed, the lawn irrigated, and gravel walks made. The drawings for Nanteos must date from 1814-17 when Edwards controlled estate affairs; payments for the designs are presumably hidden in the large disbursements to Edwards recorded in the estate accounts.

Edwards introduced Major Powell of Nanteos to Nash who invited him to East Cowes Castle. "I have just seen Nash", wrote Edwards to Powell in 1814, "who regretted that you did not join his party - they had, he says, the greatest treat imaginable." Later Edwards promised Powell "to sound my friend Nash about the lieutenancy". One has the impression, though it may be unfair, that Nash and Edwards in a practised way had hooked and were reeling in a client, although in this case they did not land the catch. Relations between Edwards and Powell soured in 1817 and the scheme for Nanteos was abandoned.[5]

JOHN EDWARDS AND RHEOLA

John Edwards returns us to Nash's family and Glamorgan. Despite their age difference, there were close ties of friendship and business between the cousins. They shared, of course, the same artisan family background in Lambeth; both were successful self-made professional men with political ambitions. The house which Nash designed for Edwards at Rheola has a special significance and helps us to understand the nuances which the

Ffig. 52 Rheola: Tŷ'r Stiward ("Brynawel"), tua 1820.
Fig. 52   Rheola: Steward's House ("Brynawel"), ca. 1820.

oedd cysylltiadau cyfeillgarwch a masnach agos rhwng y cefndryd. Deuent, wrth gwrs, o'r un cefndir teuluol - cefndir crefftwyr yn Lambeth; yr oedd y naill a'r llall yn wŷr proffesiynol a'u gwnaethant eu hunain yn llwyddiannus, gydag uchelgais gwleidyddol. Mae'r tŷ a gynlluniodd Nash ar gyfer Edwards yn Rheola yn meddu, wrth gwrs, ar bwysigrwydd arbennig ac fe'n cynorthwya i ddeall yr arlliwiau ystyr a oedd i'r pictiwrésg i'r dosbarth canol proffesiynol.

Peiriannydd llwyddiannus oedd ewythr Nash, John Edwards yr hynaf, a brynasai Reola, yng Nghwm Nedd, mae'n debyg oherwydd y picturesque held for the professional middle class.

Nash's uncle, John Edwards senr., was a successful engineer and had bought Rheola, in the Vale of Neath, presumably because of the family links with Neath. His son, John Edwards junr., prospered as a parliamentary solicitor, made two advantageous marriages, and decided to improve Rheola which then became his principal home. There seems no reason to doubt the family tradition that Edwards asked Nash to enlarge the farmhouse at Rheola, but "impressed upon Nash that ... it was his special desire that it should preserve its cottage-like appearance".[6]

Ffig. 53 Rheola: dynesiad y "bwthyn", tua 1820.
Fig. 53   Rheola: the approach to the "cottage", ca. 1820.

cysylltiadau teuluol â Chastellnedd. Ffynnai ei fab John Edwards yr ieuaf, fel cyfreithiwr seneddol, fe briododd yn fanteisiol ddwywaith, a phenderfynu gwella Rheola a ddaeth wedyn yn brif drigfan iddo. Ni welir unrhyw reswm dros amau'r traddodiad teuluol i Edwards ofyn i Nash ehangu'r ffermdy yn Rheola, ond "gan bwysleisio i Nash ei ddymuniad arbennig y dylai gadw ei debygrwydd i fwthyn".[6]

Cyfoesai'r gwelliannau yn Rheola â'r rhai a awgrymwyd ar gyfer Nanteos a gwnaeth George Repton gyfraniad pwysig i'r ddau gynllun. Nodir yng nghyfrifon Nanteos daliad ym Medi 1814 ar gyfer "treuliau taith Mr. Repton i Reola" a dyry hyn gadarnhad dogfennol o'i gysylltiad â'r ddau safle.

The improvements at Rheola were contemporary with those proposed for Nanteos and George Repton made a significant contribution to both designs. A payment in September 1814 of "Mr. Reptons expences to Rheola" recorded in the Nanteos accounts provides documentary confirmation of his involvement at both sites. The designs for Nanteos and Rheola seem to have proceeded together and in some ways each provides a commentary on the other. Drawings for two farmhouses and a "steward's house" (now "Brynawel") at Rheola are preserved in one of Repton's surviving notebooks and have the picturesque features familiar from the Nanteos designs: tall chamfered chimneys, dormers,

Ymddengys i gynlluniau Nanteos a Rheola fynd rhagddynt ar y cyd, a rhywsut mai'r naill yn cynnig sylwadaeth ar y llall. Yn un o lyfrau nodiadau Repton sydd eto ar gael, cadwyd dyluniadau ar gyfer dau ffermdy a "thŷ stiward" (bellach "Brynawel") yn Rheola, ac mae ynddynt y nodweddion pictiwrésg hysbys o gynlluniau Nanteos: simneiau uchel siamffrog, ffenestri cromen, pyrth a ffenestri ymwthiol, a seddau cysgodol.[7]

Ymddengys i Dŷ Rheola ddatblygu o gynllun ar gyfer ffermdy a feranda ar ei du blaen a phen amlonglog ac adeiladwyd ef dros sawl cyfnod ar gost o £25,000 yn ôl y sôn. Ailadroddwyd yr projecting porches and windows, and sheltered seats.[7]

Rheola House seems to have developed from a design for a farmhouse with a verandahed front and canted end and was built in several stages at a reputed cost of £25,000. The distinctive elevation was repeated at both the garden and entrance fronts, giving an L-shaped range. A further range with a canted bay was soon added, making the plan U-shaped (infilled with service-rooms), and the building was completed by a crested conservatory which could be entered from the morning-room. When finished Rheola contained a full range of principal rooms, including a dining-room in which

Ffig. 54 Rheola yn ei leoliad cymdeithasol a thirweddol, 1814.

Fig. 54   Rheola in its social and landscape setting, 1814.

olygwedd hynodol o du'r ardd ac o'r tu blaen, gan greu amrediad ar ffurf L. Yn fuan ychwanegwyd amrediad pellach gyda bae amlonglog, gan greu ffurf pedol o'r cynllun (a lanwyd gydag ystafelloedd gwasanaeth) a chwblhawyd yr adeilad â llysieudy cribog y gellid mynd iddo o'r ystafell frecwasta. Wedi ei gwblhau cynhwysai Rheola amrediad cyflawn o brif ystafelloedd, gan gynnwys ystafell giniawa lle crogai portreadau o Nash ac o Sior IV.[8]

Mewn gwirionedd plasty helaeth oedd Rheola, fel y dengys y cynllun. Er hynny mae'n gwbl eglur

were to hang portraits of Nash and George IV.[8]

Rheola was in fact a large country house, as the plan shows. However, it is quite clear from the contemporary visual record that Rheola was presented as a cottage, albeit of a rather Continental kind. From the roadside, the compact garden front was visible but the extensive wings of the house were hidden. Early drawings show how Rheola was approached by a gated path rather than a grand drive; the loggia'd entrance front with its rustic columns was withheld from view until the garden

o'r cofnod gweledol cyfoes mai fel bwthyn, er o fath Cyfandirol braidd, y cyflwynwyd Rheola. O fin y ffordd gwelid yr ochr gryno a wynebai'r ardd ond 'roedd esgyll helaeth y tŷ ynghudd. Dengys dyluniadau cynnar sut yr eid i Reola ar hyd llwybr a llidiardau ar ei draws, yn hytrach nag ar hyd rhodfa urddasol; cuddid tu'r mynediad logiaog a'i golofnau garwaidd nes y byddid wedi mynd heibio tu'r ardd. Cynlluniwyd tu'r ardd fel bwthyn ar raddfa gymharol fechan gyda feranda dan ganopi (dan orchudd o blwm a golwg deunydd arno o hirbell). Dringai planhigion blodeuog dros y feranda ddelltog ac 'roedd caeadau wrth ffenestri'r llawr cyntaf. Mae dyluniadau tra hysbys Thomas Horner o Reola yn cyfleu'n wych swyn ac anffurfioldeb y "bwthyn".

Horner a ddyfeisiodd "ddull gwell o ddylunio ystadau" a "gyfunai fanteision cynllun ystâd â rhai cynllun tirwedd neu olygfa berspectif". Ganddo comisiynodd Edwards fap a phanorama anferth a ddangosai Reola fel y gosodwyd ef yn ei dirlun. Yn y blaendir gwelir camlas Nedd; ni wrthwynebai Edwards mo'r mynegiant hwn o'r pictiwrésg diwydiannol. Saif Rheola yn y pellter canol ac arno olwg trigfan nad yw fawr wahanol o ran graddfa i'r ffermydd a bythynnod cyfagos. Beth pellter o flaen y tŷ gosodwyd stablau mawr a golchdy, rhag difetha'r olygfa hon. Ar bwys y tŷ rhedai Nant Rheola, a phont alpaidd yn ei chroesi. Y tu ôl i'r tŷ ceid coedydd a llwybrau anhrefnus, a "neuadd hen lanciau" wladaidd a tho gwellt a feranda ar gyfer ymwelwyr. Y tu hwnt ymagorai'r tir comin uchel anghaeëdig. Dylid barnu atyniadau Rheola, sylwodd Horner, nid yn ôl nifer erwau'r ystâd ond yn hytrach yn ôl y swynion a gynhwysai: "Yn ôl yr egwyddor hon", ychwanega, "y gwnaethpwyd gwelliannau Rheola, ac er ei fod yn gymharol newydd, mae'n cyflwyno nodwedd atyniadol mewn tirlun y mae ei anian yn bennaf yn orffwys ac yn dawelwch".[9]

Nid oedd y tirlun yn Rheola yn "deyrnaidd" yn ystyr Price: "Fe gred teyrn" (yn ôl y *Traethawd ar y Pictiwrésg*) "mai ymyrrydd yw pob un a ddaw i mewn i'w diriogaeth, ac fe ddymuna ddinistrio bythynnod a llwybrau, a theyrnasu ar ei ben ei hun". Eithr y mae carwr arlunio yn ystyried yr adeiladau, trigolion ac olion eu cyfathrach fel addurniadau ar

front had been passed. The garden front was designed as a cottage on a relatively small scale with a canopied verandah (lead covered but appearing from a distance like fabric). Flowering plants climbed the trellised verandah and there were shutters at the first-floor windows. Thomas Horner's well-known drawings of Rheola brilliantly convey the charm and informality of the "cottage".

Horner was the inventor of an "improved mode of delineating estates" which "combined the advantages of an estate plan with that of a landscape or perspective view". Edwards commissioned from him a huge map and panorama which showed Rheola in its landscape setting. The Neath canal occupies the foreground; Edwards had no objection to this expression of the industrial picturesque. Rheola is set in the middle distance and appears as a dwelling not greatly different in scale from the adjoining farms and cottages. A large stable block and laundry was set at some distance before the house so as not to spoil this prospect. Alongside the house ran Rheola Brook which was crossed by an alpine bridge. Behind the house lay a wooded dingle with unregimented walks, and a rustic thatched and verandahed "bachelors' hall" provided for visitors. Beyond lay the unenclosed high common land. The attractions of Rheola, commented Horner, were to be judged not by the number of acres of the estate but rather by its included beauties: "On this principle", he adds, "the improvements at Rheola have been made, and although yet comparatively in its infancy it presents an attractive feature in a landscape whose prevailing character is repose and seclusion".[9]

The landscape at Rheola was not "despotic" in the Pricean sense. "A despot" (according to the *Essay on the Picturesque*) "thinks every person an intruder who enters his domain, and wishes to destroy cottages and pathways, and to reign alone." However, "the lover of painting considers the dwellings, the inhabitants, and the marks of their intercourse as ornaments to the landscape".[10] In other words, Rheola (although not a small estate) lacked the signs of appropriation characteristic of the great estate. In landscape terms, Rheola was characterized by "beauty" rather than "extent" and was marked architecturally by a cottage rather than

Ffig. 55 Rheola: datguddiad y plasty (Calvert Richard Jones, 1826).
Fig. 55   Rheola: the mansion revealed (Calvert Richard Jones, 1826).

y tirlun."[10] Mewn geiriau eraill er nad ystâd fechan mo Rheola, nid oes yno arwyddion meddiant nodweddiadol o ystâd fawr. O ran tirwedd nodweddid Rheola gan "harddwch" yn hytrach na chan "ehangder" a bwthyn yn hytrach na phlasty oedd ei nod amgen pensaernïol. Gellir yn ddefnyddiol wrthgyferbynnu syniad y bwthyn yn Nanteos ac yn Rheola. Tra nad oedd y bythynnod a fwriedid yn Nanteos yn ddim amgen na nodweddion pensaernïol ar dir plasty, yr oedd y tŷ yn Rheola yn fwthyn ymhlith bythynnod eraill wedi ei osod ynghanol natur yn hytrach nag ar barcdir.

Plasty oedd Rheola, ond yr oedd ei gyflwyno'n llwyddiannus fel bwthyn yn fynegiant trawiadol o gelfyddwaith pictiwrésg. Efallai i ramanteiddio'r *cottage orné* ddechrau gyda'r bonedd, ond apeliai'r bwthyn pictiwrésg fwyfwy at y dosbarth canol a mabwysiedid ef fwyfwy ganddynt. Bu filâu yn null

a mansion. The idea of the cottage at Nanteos and Rheola may be usefully contrasted. Whereas the proposed cottages at Nanteos were simply architectural incidents in the demesne of a great house, the house at Rheola was a cottage among other cottages in a natural rather than a parkland setting.

Rheola was a mansion but its successful presentation as a cottage was a striking expression of picturesque artifice. The romanticization of the *cottage orné* may have begun with the gentry, but the picturesque cottage had growing appeal for the middle class and was increasingly appropriated by them. Villas in the cottage style like Rheola and Nash's slightly later Park Village (1820) were the precursors of innumerable suburban houses based on the idealization of the cottage which embodied significant virtues for the middle class:

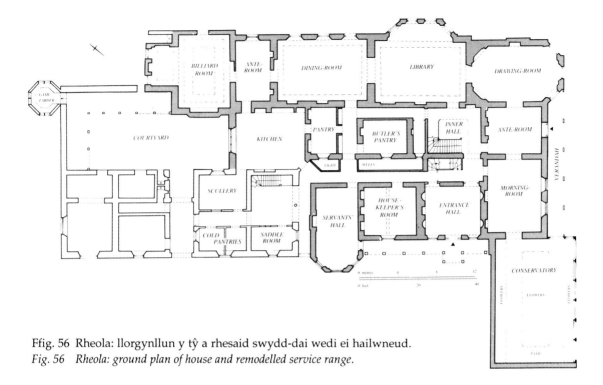

Ffig. 56 Rheola: llorgynllun y tŷ a rhesaid swydd-dai wedi ei hailwneud.
Fig. 56   Rheola: ground plan of house and remodelled service range.

y bwthyn, fel Rheola a braidd yn ddiweddarach Park Village Nash (1820) yn rhagflaenwyr tai maestrefol di-rif seiliedig ar ddelfrydiad o'r bwthyn a gynhwysai rinweddau pwysig i'r dosbarth canol: annibyniaeth, preifatrwydd, domestigrwydd clyd a'r syniad nad oedd raid wrth gyfoeth mawr i gynnal dedwyddwch.

"EDWARDS AM BYTH!"

Mae gyrfa John Edwards yn darlunio'n ddadlennol uchelgeisiau'r dosbarth canol proffesiynol newydd. Yn 1818 ac yn 1820 buasai Edwards yn ddigon cefnog a hyderus i ymladd dros sedd seneddol Morgannwg a herio'r tirfeddianwyr sefydledig a'u hymgeisydd. Beirniadwyd John Edwards fel dyn dyfod, "atwrnai enwog o Lundain, ond prin hysbys inni ond fel cyfreithiwr i Gwmni'r Regent's Canal, fel cynrychiolydd i rai uchelwyr, ac fel perthynas i Mr. Nash Carlton House." (Cyfeiriai'r sylw olaf at y dadleniad yn 1816 i'r Tywysog-Raglaw wario £160,000 ar Carlton House a ddaeth wedyn yn ddihareb am orwario ffôl.)[11]

independence, seclusion, snug domesticity, and the idea that happiness need not be supported by great wealth.

"EDWARDS FOR EVER!"

The career of John Edwards illustrates in a revealing way the ambitions of the new professional middle class. In 1818 and 1820 Edwards had been sufficiently rich and confident to contest the parliamentary seat of Glamorgan and challenge the established landed interest and its candidate. John Edwards was criticized as an interloper - "an eminent London attorney, but little known to us except as solicitor to the Regent's Canal Company, agent to certain noblemen, and the near relative of the Carlton House Mr. Nash." (This last reference was an allusion to the revelation in 1816 that the Prince Regent had spent £160,000 on Carlton House which then became a byword for profligate expenditure.)[11]

In contests marked by extraordinary venom and lavish expenditure, Edwards presented himself as

Mewn ymryson a nodweddid gan wenwyn anarferol a chan wario afradlon, fe'i cyflwynodd Edwards ei hun fel yr ymgeisydd Cymreig - "Edwards y Cymro" o'i wrthgyferbynnu â'r Sais a enwebwyd gan y tirfeddianwyr. Ceisiodd gwrthwynebwyr Edwards danseilio ei honiad mai Cymro ydoedd. Meddai dychangerdd etholiadol yn wawdlyd:

Nid Cymro o ran iaith,
Nid Cymro o'i eni,
Ei iaith poliparot a ennyn ein coegni.

Cafwyd mai yn Lloegr y ganesid Edwards a chylchredwyd cofnod bedydd swyddogol o lyfr cofrestru plwyf Lambeth fel taflen.[12]

Plediodd Edwards achos rhyddid a buddiannau'r rhydd-ddeiliaid, ceisiodd bleidleisiau tenantiaid yn erbyn eu landlordiaid, a chondemniwyd ef heb flewyn ar dafod gan yr uchelwyr am arddel athrawiaethau a oedd "a siarad yn gywir, yn chwyldroadol". Adroddwyd i un o gefnogwyr Edwards ddweud mai eu busnes hwy oedd dinistrio gorthrwm yr ystadau mawrion, a chlywid areithiau ffyrnig "y bwriadwyd hwy'n hollol i droi'r dosbarthiadau isaf yn erbyn dosbarthiadau uwch cymdeithas."[13]

Diau i wrthwynebwyr Edwards orddweud ei radicaliaeth, ond 'roedd buddiannau dosbarth yn y fantol. Datganwyd yn eglur y pwnc dan sylw: "a ddylai'r tirfeddiannwyr feddu ar y dylanwad a'r parchusrwydd a fu'n eiddo iddynt hyd yn hyn yn y wlad, ynteu gael eu sarnu dan draed gan y twrneiod isel a chan y giwed."[14] Enillodd Edwards y twrnai etholiad 1818, er y byddai'n colli etholiad 1820. Dathlwyd buddugoliaeth Edwards gan Iolo Morganwg, y rhamantydd gwlatgar o Jacobin, mewn pamffledyn sy'n dadlennu rhai o dyndrâu'r ornest. Gwylltiwyd Iolo gan yr ymosodiad ar gefndir teuluol Edwards, a'r honiadau rhagoriaeth gynhenid ar ran y tirfeddiannwyr. Yn ôl Iolo, yr oedd Edwards wedi gwella ei fyd yn y modd mwyaf anrhydeddus trwy fanteisio ar yr addysg a gafodd gan ei rieni gonest a diwyd. Yn ogystal, yr oedd teulu Edwards "ers sawl cenhedlaeth wedi ennill bri mawr oherwydd ei athrylith a'i fedrusrwydd yn saernïo'r peiriannau hynny sydd wedi hyrwyddo gymaint ar gynnydd y fasnach sydd o fewn llawer llai na chanrif wedi codi Morgannwg

the Welsh candidate - "Edwards y Cymro" - as against the English nominee of the landed interest. Edwards's opponents tried to undermine his claim to be a Welshman. An election squib sneered:

No Welshman by language
No Welshman by birth,
His parrotlike lingo excites our mirth.

It was discovered that Edwards had been born in England and a certified baptismal entry from Lambeth parish register was circulated as a handbill.[12]

Edwards championed the cause of liberty and the interests of the freeholder, canvassed tenants against their landlords, and was roundly condemned by the gentry for holding doctrines which were "properly termed revolutionary". One of Edwards's supporters was reported as saying that it was their business to destroy the tyranny of the great estates, and there were violent speeches "wholly calculated to set the lower against the upper orders of society".[13]

Edwards's opponents no doubt exaggerated his radicalism, but class interests were at stake. The issue was clearly stated: "whether the landed interests should possess the influence and respectability which they have heretofore held in the country or be trampled underfoot by the low attorneys and the rabble."[14] Edwards, the attorney, won the 1818 election, though he was to lose in 1820. Iolo Morganwg, the Jacobin and patriotic romantic, celebrated Edwards's victory in a pamphlet which reveals some of the tensions of the conflict. Iolo was outraged by the attack on Edwards's family background, and the claims of inherited superiority by the landed interest. According to Iolo, Edwards had advanced himself in life in a most honourable manner, having taken advantage of the education provided by his honest and industrious parents. Moreover, Edwards's family had "for several generations been greatly distinguished for their genius and skill in the construction of those machines which have so greatly facilitated the progress of the trade, which in much less than a century has raised Glamorgan up to a high point in the scale of commercial opulence".[15]

The Edwards family (and, of course, Nash himself) had prospered through their own energy

yn uchel ar raddfa cyfoeth masnachol."[15]

Yr oedd teulu Edwards (ac wrth gwrs Nash ei hun) wedi ffynnu trwy eu hegni a'u medr eu hunain ac o'r herwydd yr oedd eu llinach yr un mor anrhydeddus, onid yn fwy felly, nag eiddo unrhyw uchelwr.

Mynegodd yr etholiad a'i lenyddiaeth y tyndra rhwng gwerthoedd dosbarth canol proffesiynol mentergar a greai gyfoeth, a'r tirfeddianwyr hamddenus a gâi eu hincwm yn bennaf o renti'r ystadau a etifeddasant. Ond, wrth gwrs, gallai gwŷr proffesiynol ddyheu am ymuno â rhengoedd yr uchelwyr a oedd weithiau'n gwsmeriaid iddynt. Ar adeg ryfeddol yn hanes bywyd Nash, ceisiodd gael barwniaeth gan Sior IV ac addawyd un iddo, gyda'r ôl-fuddiant i fynd i John Edwards, y galwodd ef yn "f'unig berthynas". Ond bu farw'r brenin a chipiwyd y wobr oddi ar Nash.[16]

and ability and for this reason their ancestry was as honourable, if not more so, as any aristocratic lineage.

The election and its literature expressed the tension between the values of the wealth-creating professional and entrepreneurial middle class and the leisured landed interest which drew its income principally from the rents of inherited estates. But, of course, professional men might aspire to join the ranks of the aristocrats who were sometimes their clients. In an extraordinary episode in Nash's biography, he sought, and was promised by George IV, a baronetcy with remainder to John Edwards whom he now called "my only relative". But the death of the king intervened and this prize was snatched from Nash.[16]

Cyfeiriadau / References

1 Nigel Temple, *John Nash and the Village Picturesque* (1979), pen./ch. 10; A. Graves, *The Royal Academy of Arts*, v (1906), 342.

2 NLW, MS. 21816D.

3 Nigel Temple, *George Repton's Pavilion Notebook* (1993), 288-9.

4 Nigel Temple, "Pages from an Architect's Notebook. John Nash: Some Minor Buildings in Wales", *Trans. Hon. Soc. Cymmrodorion* (1985), 231-54.

5 NLW, Nanteos Letters 689-725.

6 Elis Jenkins, "Rheola", *Trans. Neath Antiquarian Society*, 1978, 61-8; "Welsh Country Homes. LXVII. Rheola", *South Wales Daily News*, 25.iii.1911.

7 Nigel Temple, *George Repton's Pavilion Notebook* (1993), PNB 20-21, 116-19; NLW, Nanteos A5, 27.

8 *South Wales Daily News*, 25.iii.1911; NLW, Rheola Collection, Box 4, Catalog Arwerthiant / Sale Catalogue *ca*.1850.

9 Elis Jenkins, "Thomas Horner", *Glamorgan Historian*, 7 (1971), 37-50; NLW, Roller Map C33; NLW, Drawing Vol.23.

10 Uvedale Price, *Essays on the Picturesque* (1810), i, 338-9.

11 R.G. Thorne (gol./ed.), *The House of Commons, 1790-1820* (1986), iii, 675-6.

12 NLW, MS. 6575E, 10.

13 "Diary of Lewis Weston Dillwyn", *South Wales and Monmouthshire Record Society*, 5 (1963), 25-27, 38-41.

14 "Diary of Lewis Weston Dillwyn", 39.

15 Edward Williams [Iolo Morganwg], *Vox Populi, Vox Dei! or, Edwards for Ever!* (1818).

16. Summerson, *Life and Work of John Nash*, 173-4.

WATERLOO

TRINIDAD
WALCHE
-REN.

BUSACO
FUENTES
DE HONOR

Diweddglo: COFGOLOFN PICTON
Final Exit: THE PICTON MONUMENT

Erbyn codi Rheola yr oedd Nash mewn bri aruchel fel pensaer y Tywysog-Raglaw (Sior IV yn ddiweddarach). Cadwodd Nash ei gysylltiadau â'r uchelwyr Cymreig trwy gyfeillion a chydnabyddiaid y byddai'n eu gwahodd i Gastell East Cowes. Tra ceisiasai Nash eu nawdd o'r blaen, yn awr ceisient hwy ei ddylanwad ef a'i ffafr.

Yn 1824 aeth Arglwydd Dinefwr a John Jones A.S. at Nash ynghylch cynllun cofgolofn i'r Cadfridog Picton, arwr Waterloo, a oedd i'w chodi yng Nghaerfyrddin. Anfonodd Nash awgrym ar gyfer y cynllun a oedd yn y bôn yn fersiwn lai o Gofgolofn arfaethedig Wellington, wedi ei seilio'n fras ar golofn Trajan, nas codasid erioed. Awgrymodd Nash y dylai'r gofeb fod yn gladdfa, ond, fel y digwyddodd, medal Waterloo Picton yn unig a gladdwyd yno. O'r bôn, addurnedig â darluniau o ysbail rhyfel, y codai colofn ddorig yn cynnwys grisiau a ymagorai ar lwyfan gwylfa lle safai cerflun mwy na natur o Bicton rhwng dau ganon. Safai'r golofn yn ddeg troedfedd a thrigain o uchder i gyd. Ar du blaen a thu ôl y bôn ceid ffrisiau yn darlunio campau milwrol Picton a'i dranc yn Waterloo. Ar ochrau'r golofn yr oedd arysgrif faith a chywrain yn Gymraeg a Saesneg, yn terfynu, "Rhoddwyd cynllun a ffurf y gofgolofn hon gan ein cydwladwr John Nash, Ysw., C.G.F., pensaer i'r Brenin".[1]

Dathlwyd cwblhau'r gofgolofn yn 1827 â defodau milwrol a masonaidd ac ymneilltuodd yr uchelwyr i ddathlu yn y Llwyn Iorwg ac yno yfwyd iechyd Nash droeon. Cyflwynodd Nash hefyd i'r dref gynlluniau ar gyfer eglwys Othig newydd. Pan osodwyd y garreg sylfaen, cludwyd y cynlluniau a'r golygweddau yn ddefodol mewn gorymdaith ac fe'u cyflwynwyd gan yr ymgymerwr i Esgob Tyddewi; defod y cawsai Nash flas mawr arni.[2]

Ar Ddydd Siartr y dref yn 1827, dymunodd John Jones A.S. "dynnu sylw'r bwrdeisiaid i ymddygiad

By the time Rheola was built Nash was supremely successful as architect to the Prince Regent, subsequently George IV. Nash maintained his links with the Welsh gentry through friends and acquaintances whom he would entertain at East Cowes Castle. Whereas Nash had once sought their patronage, they now sought his influence and favour.

In 1824 Lord Dynevor and John Jones M.P. approached Nash about the design of a monument to General Picton, a hero of Waterloo, which was to be erected in Carmarthen. Nash sent a proposal for the design which was essentially a scaled-down version of a projected Wellington Column, loosely based on Trajan's Column, which had never been built. Nash suggested that the monument should be a mausoleum although, in the event, only Picton's Waterloo medal was interred. From the base, decorated with representations of the spoils of war, rose a doric column containing a stair which opened onto a viewing platform where stood a larger-than-life statue of Picton flanked by cannon. The total height of the monument was seventy feet. On the front and back of the base were friezes representing Picton's military exploits and his death at Waterloo. On the sides of the monument was an elaborate inscription in Welsh and English, concluding, "The plan and design of this monument was given by our countryman John Nash, Esq., F.R.S., architect to the King."[1]

The completion of the monument in 1827 was marked with military and masonic ceremony and the gentry retired to celebrate at the Ivy Bush and there Nash was frequently toasted. Nash had also presented to the town designs for a new Gothic church. When the foundation stone was laid, the plans and elevations were solemnly carried in procession and presented by the contractor to the bishop of St. Davids - a ceremony Nash would have relished.[2]

At the town's Charter Day in 1827, John Jones

Ffig. 57 (*gyferbyn*) Cofgolofn Picton.
Fig. 57 (opposite) *The Picton Monument.*

tra haelionus Nash tuag atynt". Penderfynwyd:

> Bod diolchiadau'r gorfforaeth hon yn ddyledus i'n Cydwladwr a chyd-Fwrdais, John Nash, Ysw., Pensaer i'w Fawrhydi, am y sylw brwdfrydig a roes yn wastad i fuddiannau'r Fwrdeistref Sirol hon, yn enwedig trwy drosglwyddo'n rhad ac am ddim gynlluniau o'r gofgolofn a godwyd yn y dref i goffa'r diweddar Syr Thomas Picton a chynlluniau'r Eglwys newydd yr arfaethir ei chodi yn y Plwyf, ac am yr aml brofion nodedig o Gyfeillgarwch a roes i amryw unigolion cysylltiedig â Chaerfyrddin.

Cyflwynid diolchiadau'r bwrdeisiaid i Nash mewn blwch derw addurnedig ag aur, gwerth decpunt ar hugain.[3] Y flwyddyn olynol ymwelodd Nash â Chaerfyrddin am y tro olaf, i gydnabod yr anrheg, mae'n debyg, i weld hen gyfeillion a chael golwg ar y gofgolofn.[4]

Bellach yr oedd yn 75 oed. Ddwy flynedd yn ddiweddarach bu farw'r Brenin Sior. Heb ei noddwr brenhinol, ceryddwyd Nash am fanion afreolaidd ynglyn â chodi Palas Buckingham a diswyddwyd ef. Nid adenillodd erioed mo'i enw da: bum mlynedd wedyn bu farw.

Pylodd bri Nash yn fuan fel y newidiodd chwaeth pobl. Yr oedd yr olwg fwyfwy maluriedig ar Gofgolofn Picton yn arwydd o'r newid. Cymharwyd y Gofgolofn i wahanol bethau, i odyn galch, ac i "beth dal criwet ffansi". Diflanasai addurnau'r bôn yn falurion nes nad arhosai dim arwahanol ond y golofn " ac ar ei phen y cerflun … yn syllu'n brudd fel Belisariws mewn mantell garpiog … dros wlad anniolchgar."[5]

Mynegwyd y farn gyffredinol ar Nash ar y pryd gan ohebydd i'r The Welshman yn 1844: "Gŵr bychan twymgalon, sionc oedd Nash, ond pensaer echrydus, amddifad o chwaeth, o athrylith a gwreiddioldeb, wedi mopio'i ben â'i hunan-dyb, ac yn addas i wneud dim ond i borthi dyheadau llygredig oes ddi-chwaeth."[6]

Dymchwelwyd y gofgolofn yn 1846, drigain mlynedd ar ôl i'r Nash anenwog gyrraedd Caerfyrddin i ail-adeiladu ei yrfa.

M.P. "begged to call the attention of the burgesses to the very handsome manner in which Nash had acted towards them". It was resolved:

> That the thanks of this Corporation are due to our Countryman and fellow Burgess, John Nash Esqr, Architect to His Majesty, for the zealous attention he has uniformly shown to the interests of this County Borough, particularly by gratuitously furnishing plans of the Monument erected in the Town to the Memory of the late Sir Thomas Picton and of the new Church intended to be erected in the Parish and for the many and signal proofs of Friendship he has given to various individuals connected with Carmarthen.

The thanks of the burgesses were to be transmitted to Nash in an oak box with gold decoration costing £30.[3] The following year Nash visited Carmarthen for the last time, presumably to acknowledge the gift, to see old friends, and view the monument.[4]

He was now 75. Two years later King George died. Nash, deprived of his royal patron, was censured for irregularities over the building of Buckingham Palace and dismissed. His reputation never recovered; five years later he was dead.

Nash's reputation rapidly faded as tastes changed. The increasingly dilapidated appearance of the Picton Monument was symbolic of the change. The Monument was variously likened to a lime-kiln and a "fancy cruet stand". The embellishments had crumbled from the base until nothing distinctive remained but the column "surmounted by the figure … glooming out Belisarius-like in a tattered mantle … on an ungrateful country".[5]

A correspondent to The Welshman in 1844, who may well have known Nash, expressed the prevailing view: "A brisk, warm-hearted little man was Nash, but an execrable architect, devoid of taste, genius, and originality, infatuated with self-conceit, and fit only to pander to the depraved longings of a tasteless age."[6]

The monument was demolished in 1846, sixty years after the unknown Nash had arrived in Carmarthen to rebuild his career.

Cyfeiriadau / References

1 Carm. R. O., Dynevor 155/6.

2 Edna Dale-Jones, "Daniel Mainwaring, statuary and marble mason - builder of the Picton Monument", *Carmarthenshire Antiquary*, xxiv (1987), 67-70.

3 NLW, Great Sessions Records 35/154.

4 *Carmarthen Journal*, 31.x.1828.

5 *The Welshman*, 20. xii. 1844.

6 *ibid.*

Ffig. 58 Digriflun o Nash gan Syr Edwin Landseer, tua 1830 (gyda chaniatâd yr Oriel Bortreadau Genedlaethol, Llundain).

Fig. 58 Caricature of Nash by Sir Edwin Landseer, ca. 1830 (by courtesy of the National Portrait Gallery, London).

Ffig. 59 Carchardy Aberteifi: y fynedfa.
Fig. 59   Cardigan Gaol: entrance.

CATALOG PENSAERNÏOL
ARCHITECTURAL CATALOGUE

Seilir y catalog hwn ar y rhestrau safleoedd yn *A Biographical Dictionary of British Architects 1600-1840* (1978) gan Howard Colvin, *The Life and Work of John Nash* (1980) gan John Summerson, a *John Nash: A Complete Catalogue* (1991) gan Michael Mansbridge. Cynhwyswyd nifer o gynlluniau, y rhan fwyaf ar goll erbyn hyn, yn *Catalogue of the Valuable Architectural and Miscellaneous Library, Prints and Drawings of the Late John Nash* (1835; B.L., Misc. Sale Cat. P.R.2.B.42). Daw cyfeiriadau at Nash yn y *Hereford Journal* o erthygl werthfawr David Whitehead, "John Nash and Humphry Repton: An Encounter in Herefordshire 1785-98", *Trans. Woolhope Naturalists' Field Club*, xlvii (1992 [cyh. 1994]), tt. 210-236. Darparwyd cyfeiriadau o *The Cambrian, Carmarthen Journal* a *The Welshman* yn garedig gan Thomas Lloyd. Yr wyf wedi gwrthod nifer o adeiladau, gan ychwanegu safleoedd newydd, cywiro'r dyddiadau, a chadarnhau'r cyfeiriadau. Nodwyd cyfeiriadau grid yr Arolwg Ordnans ar ddiwedd pob cofnod.

This catalogue is based on the lists of sites in Howard Colvin's *A Biographical Dictionary of British Architects 1600-1840* (1978), John Summerson's *The Life and Work of John Nash* (1980), and Michael Mansbridge's *John Nash: A Complete Catalogue* (1991). Several designs, now mostly lost, were included in the *Catalogue of the Valuable Architectural and Miscellaneous Library, Prints and Drawings of the Late John Nash* (1835; B.L., Misc. Sale Cat. P.R.2.B.42). References to Nash in the *Hereford Journal* are derived from David Whitehead's valuable article, "John Nash and Humphry Repton: An Encounter in Herefordshire 1785-98", *Trans. Woolhope Naturalists' Field Club*, xlvii (1992 [publ.1994]), pp. 210-36. References from *The Cambrian, Carmarthen Journal* and *The Welshman* have been kindly supplied by Thomas Lloyd. I have rejected several buildings, added new sites, refined the dating, and consolidated the references. Ordnance Survey grid references have been noted at the end of each entry.

ADEILADAU CYHOEDDUS

1785 **Eglwys Sant Pedr** (Caerfyrddin). Hysbyseb yn y *Hereford Journal*, 17 Mawrth 1785, yn gwahodd amcangyfrifon ar gyfer to newydd. Cymeradwywyd amcangyfrif o 600 gini gan Nash a Samuel Simon Saxon ar gyfer codi to dwbl â chwter blwm a nenfwd plastr gan y festri, 26 Mai 1785. Mae'r cytundeb· adeiladu wedi goroesi (Archifdy Caerf., CDX/514). Caniatawyd £45 i Nash ar gyfer gwaith ychwanegol heb ei fanylu ym mis Medi 1788. Erbyn mis Mai 1795 yr oedd y gwter "yn gollwng yn ddrwg ac mewn cyflwr gwael" (Llyfr Festri Sant Pedr, Archifdy Caerf., CPR/65/30). Syrthiodd y nenfwd yn 1860 ac adnewyddwyd cyplau'r to: W. Spurrell, *Carmarthen and its Neighbourhood* (1879), t. 32. [SN 4152 2022]

1786 **Cospty Caerfyrddin.** Hysbyseb gan glerc yr ynadon yn y *Hereford Journal*, 19 Hydref 1786, yn gwahodd ymgymerwyr ar gyfer cospty newydd yn

PUBLIC BUILDINGS

1785 **St. Peter's Church** (Carmarthen). Advertisement in the *Hereford Journal*, 17 March 1785, inviting estimates for a new roof. Estimate of 600 guineas by Nash and Samuel Simon Saxon for erecting a double roof with a lead gutter and plaster ceiling approved by vestry, 26 May 1785. The building contract has survived (Carm. R.O., CDX/514). Nash was allowed £45 for unspecified extra work in Sept. 1788. By May 1795 the gutter was "very leaky and in bad repair" (St. Peter's Vestry Book, Carm. R.O., CPR/65/30). In 1869 the ceiling fell and the roof-trusses were replaced: W. Spurrell, *Carmarthen and its Neighbourhood* (1879), p. 32. [SN 4152 2022]

1786 **Carmarthen: House of Correction.** Advertisement by the clerk of the peace in the *Hereford Journal*, 19 Oct. 1786, inviting contractors for a new

Castle Green i weld cynlluniau a manylion a roddasid ar adnau gan Nash a Saxon yng ngweithdy Mr. Ross, yr argraffydd, yng Nghaerfyrddin. D. Whitehead, "John Nash and Humphry Repton: An Encounter in Herefordshire 1785-98", *Trans. Woolhope Naturalists' Field Club*, xlvii (1992), t. 211. Rhoddwyd y gorau i'r cynllun fel y datblygodd cynlluniau uchelgeisiol ar gyfer carchardy'r sir a chosty ar y cyd. [SN 413 199]

1789-92 Caerfyrddin: Carchardy'r Sir a Chosty. Adeiladwyd y carchardy ar egwyddorion Howardaidd "o dan gyfarwyddyd Mr. Nash, pensaer o fri yng Nghaerfyrddin" (John Bethel, *Llangunnor Hill: a Loco-Descriptive Poem* (Caerfyrddin, 1794) t. 23). Disgrifiad gan James Neild, *The State of the Prisons* (1812), t. 108; Spurrell, *Carmarthen* (1879), tt. 51-2. Fe gollwyd cofnodion y Llys Chwarter a oedd yn ymwneud â'r carchardy. Y mae sawl cynllun o'r 19eg ganrif wedi goroesi: Archifdy Caerf., Misc. Maps 1, 19, 27 a Cawdor 2/ 112. Caewyd y carchardy yn 1922 a'i ddymchwel yn 1938. Ffotograffau: CHC. [SN 4135 1995]

1790-91 Tyddewi: Cabidyldy. Ysgol Ramadeg wedi'i newid yn Gabidyldy Gothig gydag ystafell fwyta. Dangosai olygfeydd gan Pugin (Mansbridge, *Catalogue*, t. 39) a G. W. Manby (*The History and Antiquities of the Parish of St. David* (1801), plât 2) adeilad stwco gyda phedair ffenestr Othig fawr ar y llawr-cyntaf a lwfer cymhleth. Amcangyfrifwyd y gost yn £645. 12*s.* 9*d.* gyda £29. 1*s.* 10*d.* o gomisiwn (LlGC SD/CH/Accts). Dymchwelwyd fis Mehefin 1829. Manby, *History and Antiquities*, t. 46; R. Fenton, *A Historical Tour through Pembrokeshire* (1811), tt. 90-1; W. B. Jones ac E. A. Freeman, *The History and Antiquities of Saint David's* (1856), tt. 215-16. [SM 761 253]

1790-93 Eglwys Gadeiriol Tyddewi. Manyleb Nash am atgyweirio ac ailadeiladu ffrynt gorllewinol yr Eglwys Gadeiriol, dyddiedig 1791 (LlGC, SD/ Ch/ Misc 214). Ymgymerwyr: Joseph Mathias, Uzmaston (Sir Benfro), ar gyfer y gwaith coed a James Yates, Bromyard (Swydd Henffordd), ar gyfer y gwaith maen. Cyfanswm costau yn £2015. 15*s.* 5*d.* gan gynnwys ffioedd Nash, sef £319. 11*s.* 2*d.* (LLGC

house of correction at Castle Green to view plans and particulars deposited by Nash and Saxon at the premises of Mr. Ross, the printer, at Carmarthen (D.Whitehead, *Trans. Woolhope Naturalists' Field Club*, xlvii [1992], p. 211). The scheme was abandoned as ambitious plans for a combined county gaol and bridewell developed. [SN 413 199]

1789-92 Carmarthen: County Gaol and Bridewell. Prison built on Howardian principles "under the direction of Mr. Nash, an eminent architect in Carmarthen" (John Bethell, *Llangunnor Hill: a Loco-Descriptive Poem* [Carmarthen, 1794], p.23). Description by James Neild, *The State of the Prisons* (1812), p. 108; Spurrell, *Carmarthen* (1879), pp. 51-2. The Q/S records relating to the prison have been lost. Several 19th-century plans survive: Carm. R.O., Misc. Maps 1, 19, 27 & Cawdor 2/112. Gaol closed in 1922 and demolished in 1938. Photographs: NMR. [SN 4135 1995]

1790-91 St. Davids: Chapter House. Grammar school altered as a Gothic chapter house with dining-room. Views by Pugin (Mansbridge, *Catalogue*, p.39) and G. W. Manby (*The History and Antiquities of the Parish of St. David* [1801], plate 2) show a stuccoed building with four large first-floor Gothic windows and an elaborate louver. Estimated cost £645.12*s.*9*d.* with £29.1*s.*10*d.* commission (NLW, SD/Ch/Accts). Demolished June 1829. Manby, *History and Antiquities*, p. 46; R. Fenton, *A Historical Tour through Pembrokeshire* (1811), pp. 90-1; W. B. Jones and E. A. Freeman, *The History and Antiquities of Saint David's* (1856), pp. 215-16. [SM 761 253]

1790-93 St. Davids Cathedral. Nash's specification for repairing and rebuilding the west front of the Cathedral dated 1791 (NLW, SD/Ch/Misc 214). Contractors: Joseph Mathias of Uzmaston (Pembs.) for the carpentry and James Yates of Bromyard (Heref.) for the masonry. Total cost £2015.15*s.*5*d.* including Nash's fees of £319.11*s.*2*d.* (NLW, SD/Ch/ Accts). Drawings by Pugin and Repton showing the

SD/Ch/Accts). Arddangoswyd dyluniadau gan Pugin a Repton yn dangos yr eglwys gadeiriol cyn ac ar ôl y gwaith atgyweirio gan Nash yng Nghymdeithas yr Hynafiaethwyr ym mis Mawrth 1795 (Llyfr Cofnodion, cyf. 25, tt. 579-80; 1795 Papurau 5/8). Erbyn hyn y mae'r dyluniadau, a werthwyd ar farwolaeth Nash (*Sale Catalogue* 1835, lot 1034), wedi eu rhannu rhwng Cymdeithas yr Hynafiaethwyr (Cathedrals Series, Sol. B, rhifau 19-25) a Llyfrgell Gyhoeddus Hwlffordd (trosglwyddwyd o Lyfrgell Ganolog Caerdydd yn 1983). Ailadeiladwyd y ffrynt gorllewinol gan George Gilbert Scott yn 1862. Jones a Freeman, *History and Antiquities of Saint David's*, tt. 175-77; Wyn Jones, "John Nash at St. David's", *The Architectural Review*, 112 (1952), tt. 63-5. [SM 7512 2544]

1791 **Tloty Meidrim** (Meidrim, Sir Caerfyrddin). Tloty a gomisiyniwyd gan James Bowen, Castell Gorfod, at ddefnydd plwyfi Meidrim, Llanfihangel Abercywyn, Llanwinio a Llangynnin. Hysbyseb yn y *Hereford Journal*, 13 Ebrill 1791, yn cynghori adeiladwyr, seiri coed a seiri maen i archwilio'r cynlluniau a manylion drwy anfon cais at Mr. John Nash, pensaer, Caerfyrddin (D. Whitehead, *Trans. Woolhope Naturalists' Field Club*, xlvii (1992), t .212. Copi o'r cynllun a golygwedd yn LlGC, Dynevor B, Parsel 18, gyda'r nodyn, "dywedwyd iddo gostio bron £1000 i'r perchennog". Dymchwelwyd tua 1850. (Gwybodaeth gan Thomas Lloyd.) [SN 28 20]

1791-92 **Pont Casnewydd** (Sir Fynwy). Y mae cyfrifon y Llys Chwarter yn cofnodi taliadau i Nash o £700. 5*s*. 10*d*. am fodel, cynlluniau, defnyddiau a gwaith ar bentanau'r bont (Archifdy Gwent, Q/CB/0001/2, 0002/3, 0003/12). Collwyd y cynlluniau ond mae cynllun o'r bwa coed arfaethedig wedi goroesi (Archifdy Gwent, Q/CB/0001/1). Hysbyseb yn y *Hereford Journal*, 2 Tach. 1791, am ymgymerwyr. Rhoddwyd y gorau i'r gwaith yn 1792 cyn ei gwblhau. James Baker, *A Picturesque Guide to the Local Beauties of Wales* (gol.1af, 1791), t. 66, a (2il ol., 1795), t. 63. Ted Ruddock, *Arch Bridges and their Builders* (1979), t. 124. [ST 312 884]

cathedral before and after the restoration were exhibited by Nash at the Society of Antiquaries in March 1795 (Minute Book, vol. 25, pp. 579-80; 1795 Papers 5/8). The drawings, sold at Nash's death (1835 *Sale Catalogue*, lot 1034), are now divided between the Society of Antiquaries (Cathedrals Series, Sol. B, nos. 19-25) and Haverfordwest Public Library (transferred from Cardiff Central Library in 1983). The west front was rebuilt by George Gilbert Scott in 1862. Jones and Freeman, *History and Antiquities of Saint David's*, pp.175-77; I. Wyn Jones, "John Nash at St. David's", *The Architectural Review*, 112 (1952), pp. 63-5. [SM 7512 2544]

1791 **Meidrim Poor-house** (Meidrim, Carms.). Poor-house commissioned by James Bowen, of Castell Gorfod, for the use of the parishes of Meidrim, Llanfihangel Abercywyn, Llanwinio and Llangynnin. Advertisement in the *Hereford Journal*, 13 April 1791, advising builders, carpenters and masons to inspect the plans and particulars by applying to Mr. John Nash, architect, Carmarthen (D.Whitehead, *Trans. Woolhope Naturalists' Field Club*, xlvii [1992], p. 212). Copy of the plan and elevation in NLW, Dynevor B, Parcel 18, with the note, "it is said to have cost the proprietor near a £1000". Demolished *ca.*1850. (Information from Thomas Lloyd.) [ST 28 20]

1791-92 **Newport Bridge** (Mon.). Q/S accounts record payments to Nash of £700.5*s*.10*d*. for a model, designs, materials and work on the bridge abutments (Gwent R.O., Q/CB/0001/2, 0002/3, 0003/12). Designs lost but a plan of proposed centering survives (Gwent R.O., Q/CB/0001/1). Advertisement in the *Hereford Journal* for contractors, 2 Nov. 1791. Work abandoned in 1792 before completion. James Baker, *A Picturesque Guide to the Local Beauties of Wales* (1st ed., 1791), p. 66, & (2nd. ed., 1795) p. 63. Ted Ruddock, *Arch Bridges and their Builders* (1979), p.124. [ST 312 884]

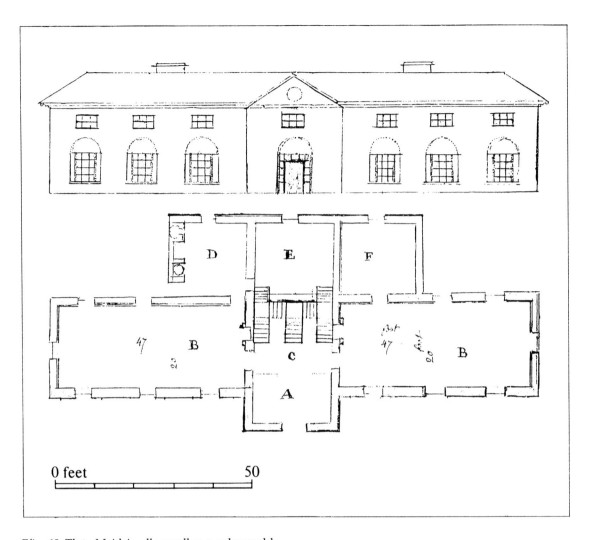

Ffig. 60 Tloty Meidrim: llorgynllun a golygwedd.
A - Porth;   B - Ystafelloedd weithio;   C - Grisiau;   D - Pantri;   E - Storfa gig a chwrw.

Fig. 60   Meidrim Poor-house: ground plan and elevation.
A - Porch;   B - Work-rooms;   C - Staircase;   D - Pantry;   E - Larder (meat and small beer).

1791-97 **Aberteifi: Carchardy'r Sir a Chospty.** Carchardy wedi'i adeiladu ar gynllun rheiddiol. Talwyd £48. 17s. 0d. i Nash am gynlluniau, golygweddau ac amcangyfrifon a gymeradwywyd yn y Llys Chwarter ym mis Chwefror 1791. Prif ymgymerwyr: James Rees, saer maen, Richard Oliver, saer coed, a William Slack, Cheapside, haearnwerthwr. Cwblhawyd y carchardy ym mis Gorffennaf 1797; talwyd £81. 9s. 6d. o gomisiwn i

1791-97 **Cardigan: County Gaol and Bridewell.** Prison built on radial plan. Nash paid £48.17s.0d. for plans, elevations and estimates approved at Q/S in Feb. 1791. Main contractors: James Rees, mason, Richard Oliver, carpenter, and William Slack of Cheapside, ironmonger. Prison completed July 1797; Nash was paid £81.9s.6d. commission based on his original estimate (NLW, QS/OB/4, ff.82ᵛ-83ᵛ, 132, 161a, 216ᵛ, 230ᵛ). Description: J. Neild, *State of*

Nash, yn seiliedig ar ei amcangyfrif cyntaf (LlGC, QS/OB/4, ff.82ᵛ-83ᵛ, 132, 161a, 216ᵛ, 230ᵛ). Disgrifiad: J. Neild, *State of the Prisons* (1812), t. 108; S. Lewis, *A Topographical Dictionary of Wales* (1833), i, dan "Cardigan". Dymchwelwyd y carchardy yn hwyr yn y 19eg ganrif. Nid yw cynlluniau wedi goroesi. Ffotograffau yn CHC. [SN 178 463]

1792-96 **Henffordd: Carchardy'r Sir a Chospty.** Carchardy wedi'i adeiladau ar gynllun rheiddiol. Cymeradwywyd cynllun Nash yn 1792 gan ganiatáu 5% ar ei amcangyfrif o £8785. Amcangyfrifwyd y gost derfynol yn 1792 yn £18646.17s. 3d. gan gynnwys £720 comisiwn, £340. 4s. 0d. am deithiau, a chyflog clerc y gwaith, £327. 12s. 0d. Rhai o'r ymgymerwyr oedd John Edwards, Lambeth, (coed) a William Slack, Cheapside, (gwaith haearn) (Archifdy Henffordd, Llyfr Cofnodion y Llys Chwarter, Q/SM/14). Dymchwelwyd y carchar yn 1928, ac eithrio Tŷ'r Llywodraethwr a adeiladwyd yn nes ymlaen. Disgrifiad: James Neild, *State of the Prisons* (1812), tt. 266-8, a *Report of the Committee appointed to Inspect Hereford County Goal* (Henffordd, 1816). Collwyd y dyluniadau gwreiddiol ond mae cynlluniau a golygweddau o'r 20fed ganrif wedi goroesi (Archifdy Henffordd BE 10/1-4). Mae ffotograffau a dynnwyd yn union cyn y gwaith dymchwel yn Llyfrgell ac Oriel Dinas Henffordd. [SO 5145 4025]

the Prisons (1812), p.108; S. Lewis, *A Topographical Dictionary of Wales* (1833), i, s.n. "Cardigan". Prison demolished in late 19th century. Plans have not survived. Photographs in NMR. [SN 178 463]

1792-96 **Hereford: County Gaol and House of Correction.** Prison built on radial plan. Nash's plan approved in 1792 with 5% allowed on his estimate of £8785. Final cost in 1797 calculated at £18646.17s.3d. including £720 commission, £340.4s.0d. for journeys, and the clerk of the works' salary of £327.12s.0d. Contractors included John Edwards of Lambeth (timber) and William Slack of Cheapside (ironwork) (Hereford R.O., Q/S Minute Book, Q/SM/14). Prison demolished in 1928, apart from the Governor's House. Description: James Neild, *State of the Prisons* (1812), pp. 266-8, and *Report of the Committee appointed to Inspect Hereford County Gaol* (Hereford, 1816). Original plans and elevations lost; 1925 county surveyor's drawings in Hereford R.O. (BE 10/1-4). Photographs taken immediately before demolition, in Hereford City Library and Art Gallery. [SO 5145 4025]

Ffig. 61 Carchardy Henffordd: golygwedd yn 1925.
Fig. 61 Hereford Gaol: elevations in 1925.

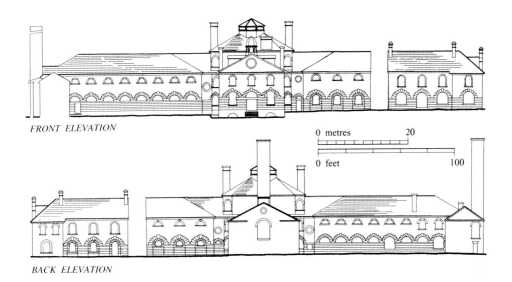

FRONT ELEVATION

BACK ELEVATION

0 metres 20

0 feet 100

1793 **Pont Trecefel** (Tregaron, Sir Aberteifi). "Pont faen syml un bwa" (J. G. Wood, *The Principal Rivers of Wales illustrated* (1813), i, t.147). Talwyd £46. 7s. 0d. i Nash ar 17 Gorffennaf 1793 am deithiau "i arolygu'r gwaith a wnaethpwyd" ar y bont gan Robert Griffith a John Williams, seiri maen (LlGC, Cards. QS/OB/4, f.131). Dymchwelwyd yn y 19eg ganrif; ni wyddys am unrhyw ddyluniadau na ffotograffau. [SN 6733 5003]

1793 a 1797 **Pont (Rheidol) Aberystwyth** (Sir Aberteifi). Talwyd i Nash am gynlluniau ac amcangyfrifon ar gyfer pont faen newydd (£41. 13s. 0d.) a phont bren dros dro (£18. 3s. 10d.) ar 16 Ionawr 1793. John James, saer coed, oedd yr ymgymerwr ar gyfer pont bren a adeiladwyd o drawstiau dêl. Taliad ychwanegol o £10. 18s. 6d. ym mis Hydref 1794 am deithiau ac awgrymiadau a hybysebwyd am ailadeiladu'r bont. Adeiladwyd pont faen bum bwa yn 1797 gan Lewis Davies, saer maen (LlGC, QS/OB/4, ff.119^r-v, 161a^v, 206). Dinistriwyd y bont gan lifogydd yn 1886. Dyluniad o'r bont bren gan Rowlandson (LlGC, P.D. 9384); ffotograff o'r bont faen yn CHC. [SN 5828 8130]

1793-98 **Gwallgofdy Henffordd.** Gwallgofdy brics, rhan o Glafdy Henffordd, adeiladwyd drwy danysgrifiadau gan y cyhoedd. Cymeradwywyd cynlluniau Nash 19 Rhagfyr 1793 gydag amcangyfrif o £1297; Nash yn hawlio ffioedd o £143. Gosodwyd y garreg sylfaen 25 Gorffennaf 1794. Gohiriwyd cwblhad y gwaith gan fethdaliad James Knight, yr ymgymerwr (Archifdy Henffordd, Llyfr Cofnodion y Clafdy, SO60/25). Cynlluniau o'r 19eg ganrif yn Archifdy Henffordd (Q/AL/157-61); ni wyddys am unrhyw ffotograffau. Caewyd y gwallgofdy yn 1857 a'i ddymchwel nes ymlaen. [SO 515 393]

1794 **Stafford: Neuadd y Sir.** Cynllun aflwyddiannus a gyflwynwyd gan Nash ar gyfer neuadd sir newydd gyda dyluniad persbectif cymhleth. Summerson, *Life and Work of John Nash*, t. 17 a phlât 4A; Mansbridge, *Catalogue*, t. 48. [SJ 922 232]

1793 **Trecefel Bridge** (Tregaron, Cards.). A "simple stone bridge of one arch" (J.G. Wood, *The Principal Rivers of Wales illustrated* [1813], i, p. 147). Nash was paid £46.7s.0d. on 17 July 1793 for journeys "to superintend and for surveying the work done" at the bridge by Robert Griffith and John Williams, masons (NLW, Cards. QS/OB/4, f. 131). Demolished in the 19th century; no known drawings or photographs. [SN 6733 5003]

1793 & 1797 **Aberystwyth (Rheidol) Bridge** (Cards.). Nash paid for designs and estimates for a new stone bridge (£41.13s.0d.) and a temporary timber bridge (£18.3s.10d.) on 16 Jan. 1793. John James, carpenter, contractor for timber bridge built of deal baulk. Additional payment of £10.18s.6d. in Oct. 1794 for journeys and advertised proposals for rebuilding bridge. Stone bridge of five arches constructed in 1797 by Lewis Davies, mason (NLW, QS/OB/4, ff.119^r-v, 161a^v, 206). Bridge destroyed by floods in 1886. Drawing of timber bridge by Rowlandson (NLW, P.D.9384); photograph of stone bridge in NMR. [SN 5828 8130]

1793-98 **Hereford Lunatic Asylum.** Brick asylum, part of Hereford Infirmary, built by public subscription. Nash's plans approved on 19 Dec. 1793, with estimate of £1297; Nash claims fees of £143. Foundation stone laid on 25 July 1794. Completion delayed by bankruptcy of James Knight, the contractor (Hereford R. O., Infirmary Minute Book, SO60/25). 19th-century plans in Hereford R.O. (Q/AL/157-61); no known photographs. Asylum closed 1857 and later demolished. [SO 515 393]

1794 **Stafford: County Hall.** Unsuccessful design for a new county hall submitted by Nash with elaborate perspective drawing. Summerson, *Life and Work of John Nash*, p. 17 and plate 4A; Mansbridge, *Catalogue*, p. 48. [SJ 922 232]

Ffig. 62 Aberystwyth: dinistr pont Nash, 1886 (Jenny Thomas).
Fig. 62 Aberystwyth: destruction of Nash's bridge, 1886 (Jenny Thomas).

1794-96 **Marchnad y Fenni** (Sir Fynwy) Marchnad newydd a gwelliannau eraill i'r dref o dan Ddeddf 34 Sior III a ddisgrifiwyd yn Llyfr Cofnodion Comisiynwyr Gwella'r Fenni (Archifdy Gwent, D.874.1). Derbyniwyd cynllun, golygwedd a manylion Nash fis Awst 1794. Ymgymerwr: James Knight. Talwyd £78. 2s. 5d. (29 Awst 1794) a £52. 10s. 0d. (13 Tach. 1795) i Nash. Agorwyd y farchnad 19 Ebrill 1796. Dangosir y farchnad ar gynllun y Fenni yn W. Coxe, *An Historical Tour in Monmouthshire* (1801), yn wynebu t. 167. Cynhwyswyd dyluniad lliw o'r farchnad "gyda ffigyrau", erbyn hyn ar goll, yn arwerthiant Nash (1835, lot 1004). Dengys print o 1825 (Mansbridge, *Catalogue*, t. 49) y farchnad ar ôl newidiadau gan J. Westacott. [SO 299 142]

1794-96 **Abergavenny Market-place** (Mon.). New market-place and other town improvements under Act 34 Geo. III described in Minute Book of the Abergavenny Improvement Commissioners (Gwent R.O., D.874.1). Nash's plan, elevation and particulars accepted in Aug. 1794. Contractor: James Knight, carpenter. Nash paid £78.2s.5d. (29 Aug. 1794) and £52.10s.0d. (13 Nov. 1795). Market opened on 19 April 1796. Market-place shown on plan of Abergavenny in W. Coxe, *An Historical Tour in Monmouthshire* (1801), facing p. 167. Coloured drawing of the market-place "with figures" was included in Nash's sale and is now lost (1835, lot 1004). Print of 1825 (Mansbridge, *Catalogue*, p.49) shows market after alterations by J. Westacott. [SO 229 142]

1795 **Henffordd: Y Bont ar Wy.** Hysbyseb yn yr *Hereford Journal* 22 Gorffennaf 1795 am ymgymerwyr i atgyweirio'r bont "yn ôl Cynllun a baratowyd gan Mr. Nash, y Pensaer", cymeradwywyd gan y Llys Chwarter. Ni weithredwyd cynllun Nash. D. Whitehead, *Trans. Woolhope Naturalists' Field Club*, xlvii (1992), tt. 228-30. [SO 5081 3958]

1795 **Pont Bewdley** (Swydd Gaerwrangon). Cynllun arfaethedig, erbyn hyn ar goll, ar gyfer pont haearn (Ruddock, Arch Bridges, t. 149; D. Whitehead, *Trans. Woolhope Naturalists' Field Club*, xlvii (1992), tt. 228-29. [SO 7873 7543]

1795 a 1798 **Pont Stanford** (Swydd Gaerwrangon). Cynllun ar gyfer pont un bwa sengl yn rhychwantu 100 troedfedd ar draws afon Tefeidiad a gwympodd yn fuan ar ôl ei gorffen. Ail-gynlluniwyd gan Nash gan ddefnyddio system, y cododd batent arno yn 1797, o flychau cynffurf wedi'u bolltio at ei gilydd (*Repository of Arts and Manufactures*, vi (1797), tt. 361 ymlaen.). Dymchwelwyd 1911. Mae dyluniadau o'r ddwy bont yn Llyfrgell Cymdeithas yr Hynafiaethwyr (Casgliad Prattinton IV(2), rhifau 5 a 6), y cyntaf yn gopi o gynllun Nash; atgynhyrchwyd yn Mansbridge, *Catalogue*, t. 61. Summerson, *Life and Work of John Nash*, tt. 17-18, 27-28, plât 4B; Ruddock, *Arch Bridges*, t. 140; Barrie Trinder, "The First Iron Bridges", *Industrial Archaeology Review*, iii (1979), t. 118; J. G. James, "Some Steps in the Evolution of Early Iron Arched Bridge Designs", *The Newcomen Society*, 59 (1987-88), t. 159.

1798 **Eglwys y Santes Non** (Llannerch Aeron, Sir Aberteifi). Eglwys blwyf Othig a briodolwyd i Nash ar sail yr arddull. Cynlluniwyd, mae'n debyg, yr un pryd â Phlas Llannerch Aeron (Llanaeron House). Cofnoda arysgrif yr adeiladwyd yr eglwys yn 1798 a'i newid yn 1878. Dengys dyluniadau cyn y 19eg ganrif eglwys stwco â chreneliadau, pedryddail cilfachog a phorth twr pinaclog dan gromen. S. R. Meyrick, *History and Antiquities of the County of Cardigan* (1810), plât ix, rhwng tt. 286-7. [SN 4773 6035]

1795 **Hereford: Wyebridge** Advertisement in the *Hereford Journal*, 22 July 1795, for contractors to repair the bridge "according to the Plan prepared by Mr. Nash, the Architect", approved by the Q/S. Nash's scheme was not implemented. D. Whitehead, *Trans. Woolhope Naturalists' Field Club*, xlvii (1992), pp. 228-30. [SO 5081 3958]

1795 **Bewdley Bridge** (Worcs.). Proposed design for an iron bridge, now lost (Ruddock, *Arch Bridges*, p. 149; D. Whitehead, *Trans. Woolhope Naturalists' Field Club*, xlvii [1992], pp. 228-29). [SO 7873 7543]

1795 & 1798 **Stanford Bridge** (Worcs.). Design for a single-arch iron bridge spanning 100 feet over the River Teme which collapsed shortly after completion. Redesigned by Nash using a system of bolted voussoirs which he patented in 1797 (*Repository of Arts and Manufactures*, vi [1797], pp. 361ff.). Demolished 1911. Drawings of both bridges in the Society of Antiquaries Library (Prattinton Collection IV(2), nos. 5 & 6), the first a copy of Nash's design; reproduced in Mansbridge, *Catalogue*, p. 61. Summerson, *Life and Work of John Nash*, pp. 17-18, 27-28, pl. 4B; Ruddock, *Arch Bridges*, p. 140; Barrie Trinder, "The First Iron Bridges", *Industrial Archaeology Review*, iii (1979), p. 118; J. G. James, "Some Steps in the Evolution of Early Iron Arched Bridge Designs", *The Newcomen Society*, 59 (1987-88), p. 159. [SO 7151 6578]

1798 **St. Non's Church** (Llannerchaeron, Cards.). Gothic parish church attributed to Nash on stylistic grounds. Presumably designed at the same time as Llanaeron House. An inscription records that the church was built in 1798 and altered in 1878. Drawings before 19th-century alterations show a stuccoed church with crenellations, recessed quatrefoils, and pinnacled tower-porch capped by a dome. S.R. Meyrick, *History and Antiquities of the County of Cardigan* (1810), plate ix, between pp. 286-7. [SN 4773 6035]

Ffig. 63 Eglwys y Santes Non, tua 1810.
Fig. 63 St. Non's Church, ca. 1810.

1805 **Pont Caerleon** (Sir Fynwy). "Tri chynllun gwahanol ar gyfer pont newydd" a gyflwynwyd o flaen y Llys Chwarter mis Ionawr a'r brawdlys ddilynol. Gwrthodwyd y cynlluniau sydd erbyn hyn ar goll. *The Cambrian*, 2 Chwefror 1805. [ST 3412 9026]

1824 **Eglwys Sant Pawl** (Caerfyrddin). Cyflwynodd Nash i'r fwrdeistref gynllun "yn yr arddull Othig pur a nodid gan ei diweirdeb a chan ei cheinder." Gosodwyd y sylfaen ym mis Medi 1824 ond nid adeiladwyd yr eglwys erioed (Edna Dale-Jones, *Carm. Antiquary*, xxv (1989), tt. 67-8). Cynhwyswyd "dau gynllun gwahanol" (ar goll erbyn hyn) yn arwerthiant Nash (1835, lot 1013). [SN 4171 2038]

1805 **Caerleon Bridge** (Mon.). "Three different plans for a new bridge" laid before the Jan. Q/S and following assizes. Designs rejected and now lost. *The Cambrian*, 2 Feb. 1805. [ST 3412 9026]

1824 **St. Paul's Church** (Carmarthen). Nash presented to the borough a design "in the pure Gothic style distinguished alike by chasteness and elegance." Foundation stone laid in Nov. 1824, but church never built (Edna Dale-Jones, *Carm. Antiquary*, xxv [1989], pp. 67-8). Two "different designs" (now lost) were included in Nash's sale (1835, lot 1013). [SN 4171 2038]

1824-27 **Cofgolofn Picton** (Caerfyrddin). Cofgolofn i'r Cadfridog Picton a godwyd ar gost o ryw £3000. Llythyr gan Nash at yr Arglwydd Dinefwr yn disgrifio cofgolofn arfaethedig 28 Awst 1824 (Archifdy Caerf., Llsgr. Dynevor, 155/6). Ymgymerwr: Daniel Mainwaring; cerflun gan Edward Hodges Bailey. Gosodwyd y sylfaen 16 Awst 1825 a chwblhawyd y gofgolofn 28 Gorffennaf 1827. Dymchwelwyd 1846; mae cerfwedd isel newydd yn lle'r hen un a fwriadwyd ar gyfer y gofgolofn erbyn hyn yn Amgueddfa Caerfyrddin. (1875) *Cymru*, i (1875), t. 228; Spurrell, *Carmarthen* (1879), tt. 53-5; Edna Dale-Jones, *Carm. Antiquary*, xxv (1989), tt. 67-71. [SN 4027 1995]

ADEILADAU DOMESTIG

1788 **Y Gelli Aur (Golden Grove)** (Llanfihangel Aberbythych, Sir Gaerfyrddin). Rhoddwyd £10. 10s. 0d. i Nash gan John Vaughan am gynllun ac amcangyfrif ar gyfer baddon oer y mae'n debyg nas adeiladwyd erioed (Archifdy Caerf., Llsgr. Cawdor (Y Gelli Aur) 4425, cofnod am 30ain Rhagfyr). [SN 596 191]

1788-89 **Tŷ'r Priordy (Priory House)** (Aberteifi). Adeiladwyd fila i Elizabeth Johnes o Croft Castle, mwy na thebyg ar gyfer asiant Ystâd y Priordy. Ceir treuliau am "adeiladu a gwario arall" yng nghyfrifon yr ystâd 1788-89 (LlGC, Llsgr. Bronwydd 4067); yn sicr wedi'i gwblhau erbyn 1793 pan gyfeiria Colt Hoare (*Journeys of Sir Richard Colt Hoare*, t. 42) at y tŷ Gothig modern a frasluniodd (LlGC, D153). Priodolwyd i Nash yn y *Carmarthen Journal*, 21 Mehefin 1839. Ehangwyd y tŷ mewn arddull Othig ac erbyn hyn mae'n rhan o Ysbyty Coffa Aberteifi a'r Cylch. Meyrick, *History of the County of Cardigan*, t. 104; Emily Pritchard, *Cardigan Priory in the Olden Days* (1904). Ffotograffau: CHC. [SN 1814 4605]

1790 **Plas Cleidda (Clytha House)** (Llanarth Fawr, Sir Fynwy). "Codwyd mynedfa Othig i Gleidda yn ddiweddar (1798) o gynllun gan Mr. Nash y pensaer": *Journeys of Sir Richard Colt Hoare* (1983), t. 96. Cofnodwyd taliad o £10 i "J. Nash (drwy archeb ariannol i Wright) am ei gynllun" yng

1824-27 **Picton Monument** (Carmarthen). Memorial to General Picton erected at a cost of about £3000. Letter from Nash to Lord Dynevor describing proposed monument, 28 Aug. 1824 (Carm. R.O., Dynevor MS. 155/6). Contractor: Daniel Mainwaring; sculpture by Edward Hodges Bailey. Foundation stone laid on 16 Aug. 1825, and monument completed on 28 July 1827. Demolished 1846; a replacement bas-relief intended for the monument now in Carmarthen Museum. *Cymru*, i (1875), p.228; Spurrell, *Carmarthen* (1879), pp. 53-5; Edna Dale-Jones, *Carm. Antiquary*, xxv (1989), pp. 67-71. [SN 4027 1995]

DOMESTIC BUILDINGS

1788 **Golden Grove** (Llanfihangel Aberbythych, Carms.). Nash given £10.10s.0d. by John Vaughan for a plan and estimate of a cold bath; probably never built (Carm. R.O., Cawdor [Golden Grove] MS. 4425, entry for 30 Dec.). [SN 596 191]

1788-89 **Priory House** (Cardigan). Villa built for Elizabeth Johnes of Croft Castle, probably for the agent of the Priory Estate. Expenses for "building and other outgoings" occur in estate accounts, 1788-89 (NLW, Bronwydd MS. 4067); certainly completed by 1793 when Colt Hoare (*Journeys of Sir Richard Colt Hoare*, p. 42) refers to the modern Gothic house which he sketched (NLW, D 153). Attributed to Nash in the *Carmarthen Journal*, 21 June 1839. House enlarged in Gothic style and now incorporated in Cardigan & District Memorial Hospital. Meyrick, *History of the County of Cardigan*, p. 104; Emily Pritchard, *Cardigan Priory in the Olden Days* (1904). Photographs: NMR. [SN 1814 4605]

1790 **Clytha House** (Llanarth Fawr, Mon.). "Gothic entrance to Clytha lately [1798] erected from a design by Mr. Nash the architect": *Journeys of Sir Richard Colt Hoare* (1983), p. 96. Payment of £10 to "J: Nash (by draft on Wright) for his plan" recorded in Clytha House accounts on 28 Oct. 1790 (Gwent

Ffig. 64 Porth llidiard Plas Cleidda.
Fig. 64 Clytha House Gateway.

nghyfrifon Plas Cleidda ar 28 Hydref 1790 (Archifdy Gwent, Llsgr. D43/2114, t. 410). Engrafiad o Borth Llidiard Cleidda yn W. Coxe, *An Historical Tour of Monmouthshire* (1801), yn wynebu t. 157. Gweler **Castell Cleidda** o dan safleoedd gwrthodedig. [SO 3634 0885]

tua 1790 **Foley House** (Hwlffordd, Sir Benfro). Adeiladwyd fila ar gyfer Richard Foley (m. 1803), atwrnai. Mae stabl gerllaw yn ddyddiedig 1794. Hysbysebwyd "gwerthiant plasty modern ardderchog a gynlluniwyd gan Nash" yn *The Cambrian*, fis Mehefin 1821. Erbyn hyn yn Swyddfa Clerc yr Ynadon. Ffotograffau: CHC. [SM 9535 1550]

R.O., MS. D43/2114, p. 410). Engraving of Clytha Gateway in W. Coxe, *An Historical Tour of Monmouthshire* (1801), facing p. 157. See **Clytha Castle** under *rejected sites*. [SO 3634 0885]

*ca.*1790 **Foley House** (Haverfordwest, Pembs.). Villa built for Richard Foley (d.1803), an attorney. An adjoining stable dated 1794. Sale of the "capital modern mansion house planned by Nash" advertised in *The Cambrian*, June 1821. Now Magistrates' Clerk's Office. Photographs: NMR. [SM 9535 1550]

tua 1790 **Bwlch y Clawdd (Temple Druid)** (Maenclochog, Sir Benfro). Adeiladwyd fila ger safle cromlech fel "lluesty hela", mwy na thebyg i Richard Bulkeley (R. Fenton, *An Historical Tour through Pembrokeshire* [1811], tt. 352-4). Hysbysebwyd arwerthiant y tŷ "a adeiladwyd gan Nash" yn *The Cambrian*, 8 Medi 1821, gan nodi'r grisiau maen geometrig a'r prif ystafelloedd (F. Jones, *Trans. Carmarthenshire Antiquarian Society*, xxix (1939), t. 96). Yn nes ymlaen gwerthwyd y gosodion mewnol, dymchwelwyd rhan o'r tŷ a'i droi yn "drigfan taclus a syber" (*Cambrian Journal*, 30 Ionawr a 12 Mawrth 1824, 17 Chwefror 1832). Ni ddaethpwyd o hyd i ddyluniadau o'r tŷ cyn ei newid. Ffotograffau: CHC. [SN 0970 2720]

tua 1790 **Tŷ Sion (Sion House)** (Dinbych-y-Pysgod, Sir Benfro). Fila i William Routh (m. 1800), argraffydd a chyhoeddwr *The Bristol Journal*. Ehangwyd ganol y 19eg ganrif a'i ail-enwi'n Wooferton Grange; dinistriwyd gan dân 1938. LlGC, Llsgr. 1444F; T. Lloyd, *The Lost Houses of Wales* (1986), t. 72.

tua 1790 **Glanwysg** (Llangatwg, Sir Frycheiniog). Fila a adeiladwyd i'r Llyngesydd Gell (m. 1806): LlGC, Llsgr. 784A, t. 249; Theophilus Jones, *History of Brecknock* (gol. 1903), iii, tt. 162 a 166; Samuel Lewis, *A Topographical Dictionary of Wales* (1833), ii, dan "Llangattock". Ehangwyd y tŷ ynghanol y 19eg ganrif; Haslam, *Powys* (1979), t. 347. Mae dyluniad sy'n dangos y fila cyn ei newid yn Oriel Ontario (o wybodaeth gan Thomas Lloyd). Mae engrafiad o "Dŷ Llangatwg, Sir Fynwy", yn *The Polite Repository* (1799) yn lun o Glanwysg mewn gwirionedd (o wybodaeth gan Nigel Temple). Ffotograffau: CHC. [SO 2059 1878]

tua 1790 **Llanfechan [Llan-Vaughan]** (Llanwenog, Sir Aberteifi). Fila i'r Llyngesydd John Thomas (1751-1810) a brynodd yr ystâd yn 1786. Priodolir i Nash oherwydd ei debygrwydd i Blas Llannerch Aeron (Lloyd, *Lost Houses of Wales*, t. 50). Disgrifiad gan S. R. Meyrick, *The History and Antiquities of the County of Cardigan* (1810), t. 191 a phlât III. Yn adfail erbyn 1861 (*Arch. Camb.* 1861, tt. 43-44). [SN 5155 45-49]

*ca.*1790 **Temple Druid [Bwlch y Clawdd]** (Maenclochog, Pembs.). Villa built near the site of a cromlech as a "hunting seat", probably for Richard Bulkeley (R. Fenton, *A Historical Tour through Pembrokeshire* [1811], pp. 352-4). Sale of the house "built by Nash" advertised in *The Cambrian*, 8 Sept. 1821, noting the geometrical stone stair and principal rooms (F. Jones, *Trans. Carmarthenshire Antiquarian Society*, xxix [1939], p. 96). Interior fittings and fixtures subsequently sold, the house partly demolished and converted into a "neat and genteel residence" (*Cambrian Journal*, 30 Jan. & 12 March 1824, 17 Feb. 1832). Drawings of the house before alteration have not been found. Photographs: NMR. [SN 0970 2720]

*ca.*1790 **Sion House** (Tenby, Pembs.). Villa for William Routh (d.1800), printer and publisher of *The Bristol Journal*. Enlarged in the mid-19th century and renamed Wooferton Grange; destroyed by fire in 1938. NLW, MS. 1444F; T. Lloyd, *The Lost Houses of Wales* (1986), p. 72. [SN 131 019]

*ca.*1790 **Llanwysc [Glanwysg, Middle Glanusk** or **Glanusk Villa]** (Llangatwg, Brecs.). Villa built for Admiral Gell (d. 1806): NLW, MS. 784A, p.249; Theophilus Jones, *History of Brecknock* (1903 ed.), iii, pp. 162 & 166; Samuel Lewis, *A Topographical Dictionary of Wales* (1833), ii, s.n. "Llangattock". House enlarged in the mid-19th century; Haslam, *Powys* (1979), p.347. Drawing showing villa before alteration in the Art Gallery of Ontario (ex inf. Thomas Lloyd). An engraving of "Llangattrick House, Monmouthshire", in *The Polite Repository* (1799) actually depicts Llanwysc (ex inf. Nigel Temple). Photographs: NMR. [SO 2059 1878]

*ca.*1790 **Llanfechan [Llan-Vaughan]** (Llanwenog, Cards.). Villa for Admiral John Thomas (1751-1810) who bought the estate in 1786. Attributed to Nash because of its resemblance to Llanaeron (Lloyd, *Lost Houses of Wales*, p. 50). Description by S. R. Meyrick, *The History and Antiquities of the County of Cardigan* (1810), p. 191 & plate III. Ruined by 1861 (*Arch. Camb.*, 1861, pp. 43-4). [SN 5155 4549]

1791-94 **Tŷr Castell (Castle House)** (Aberystwyth, Sir Aberteifi). Encilfa haf Othig ar gynllun trionglog i Uvedale Price ar dir ar les gan y fwrdeistref yn 1788 (LlGC, Cofnodion Bwrdeistref Aberystwyth, A2, datganiadau dan lw 1788M a 1791M; W. J. Lewis, *Ceredigion*, iii (1956-9), t. 299). Disgrifia Price waith Nash mewn llythyr at Syr George Beaumont 18 Mawrth 1798 (Llyfrgell Pierpont Morgan, Efrog Newydd, Papurau Coleorton, MA1581 (Price); dyfyniadau yn Summerson, *Life and Work of John Nash*, t. 21). Cynhwyswyd Tŷr Castell yng Ngwesty Tŷr Castell Seddon (nes ymlaen adeilad Coleg Prifysgol Cymru) ond fe'i dymchwelwyd yn 1897. Goroesa lle tân a briodolir i Banks. Mae dyluniadau

1791-94 **Castle House** (Aberystwyth, Cards.). Gothic summer retreat of triangular plan for Uvedale Price on land leased from the borough in 1788 (NLW, Aberystwyth Borough Records, A2, presentments 1788M and 1791M; W. J. Lewis, *Ceredigion*, iii [1956-9], p. 299). Price describes Nash's work in a letter to Sir George Beaumont, 18 March 1798 (PML, Coleorton Papers, MA1581 (Price) 16; extracts in Summerson, *Life and Work of John Nash*, p. 21). Castle House was incorporated in Seddon's Castle House Hotel (later University College of Wales building) but demolished in 1897. A fireplace attributed to Banks survives. Reconstruction drawings based on 1858 plans by E. H. Martineau (NLW, Castle House

Ffig. 65 Llanfechan: prif olygwedd.
Fig. 65 Llanfechan: principal elevation.

ail-lunio seiliedig ar gynlluniau 1858 gan E. H. Martineau (LlGC, Castle House 1-4), a dyluniadau o'r 19eg ganrif gynnar yn LlGC. Mae ffotograffau yn dangos Tŷ'r Castell ar ôl newidiadau yng nghanol y 19eg ganrif yn LlGC a CHC. Cedwir dau fodel tsieni ym Mhrifysgol Cymru, Aberystwyth. E. Inglis-Jones, *Country Life*, 4 Gorffennaf 1952. [SN 5811 8171]

tua 1791 **Cwrt Whitson (Whitson Court)** (Whitson, Sir Fynwy). Fila frics i William Phillips. Priodoliad cyfoes gan James Baker, *A Picturesque Guide to the Local Beauties of Wales* (1791), t. 50 (2il arg.; 1795, cyf. i, t.46): "Mae Whitson yn gynllun taclus, modern, ond bydd ei safle yn ei rwystro, gyda'r addurniadau gorau, rhag creu effaith bictiwrésg. Fe'i gorffennir gan Nash, ar gost William Phillips, Ysw, perchennog y Gweundiroedd am beth pellter o'i gwmpas." Mae T. Lloyd, *Lost Houses of Wales*, t. 94, yn priodoli'r tŷ i A. Keck. Ffotograffau: CHC. [ST 3712 8471]

1792-94 **Y Bwthyn (The Cottage) [Bwthyn Emlyn (Emlyn Cottage) nes ymlaen]** (Castellnewydd Emlyn, Sir Aberteifi). Tŷ gwraig weddw Gothig a adeiladwyd i Mrs. Ann Brigstocke (m. 1825), gweddw Owen Brigstocke, Blaenpant. Goroesa'r cynlluniau a dogfennau gwreiddiol: llorgynllun wedi'i arwyddo gan Nash a dyluniadau teg o borth (LlGC Casgliad Cilgwyn); cytundebau adeiladu a chyfrifon (LlGC, Llsgr. 22741E a LlGC Gweithred 1707). Ymgymerwyr: Henry Evans, Danybanc, Llangeler, saer celfi; William Lewis, Cenarth, saer coed; John Michael, Cenarth. Amcangyfrif o £550; Cyfanswm costau: £610. 19s. 10d. Fe'i dymchwelwyd yn 1881 ac adeiladwyd y Cilgwyn ar y safle. Dyluniadau: Casgliad Thomas Lloyd a Chyf. Dyluniadau LlGC 18. [SN 312 409]

1792-95 **Y Ffynhonne** (Maenordeifi, Sir Benfro). Fila a adeiladwyd i'r Cyrnol John Colby (m. 1823) ar safle amlwg (Fenton, *Tour through Pembrokeshire*, tt. 495-6). Goroesa rhai cyfrifon adeiladu yn LlGC (Llsgrau. Owen a Colby 1139-1267) gan gynnwys biliau am y grisiau a'r lle tân marmor (gan William Drewitt, Bryste), y ffanffenestri (gan Underwood, Bottomley & Hamble), gwaith plastr gan John

1-4), and early-19th-century drawings in NLW. Photographs showing Castle House after mid-19th-century alterations in NLW and NMR. Two china models kept at University of Wales, Aberystwyth. E. Inglis-Jones, *Country Life*, 4 July 1952. [SN 5811 8171]

ca.1791 **Whitson Court** (Whitson, Mon.). Brick villa for William Phillips (1752-1836). Contemporary attribution by James Baker, *A Picturesque Guide to the Local Beauties of Wales* (1791), p.50 (2nd ed., 1795, vol. i, p. 46): "Witston is a neat modern design, but its situation will prevent its producing, with the best embellishments, picturesque effect. It is finishing by Nash, at the expence of William Phillips, Esq., proprietor of the Moor lands for some extent about." T. Lloyd, *Lost Houses of Wales*, p. 94, suggests that Nash finished work begun by A. Keck. Photographs: NMR. [ST 3712 8471]

1792-94 **The Cottage** [later **Emlyn Cottage**] (Newcastle Emlyn, Cards.). Gothic dower-house built for Mrs. Ann Brigstocke (d. 1825), widow of Owen Brigstocke of Blaenpant. Original designs and documents survive: ground plan signed by Nash and fair drawing of porch (NLW, Cilgwyn Collection); building contracts and accounts (NLW, MS. 22741E & NLW Deed 1707). Contractors: Henry Evans, Danybanc, Llangeler, joiner; William Lewis of Cenarth, carpenter; John Michael of Cenarth. Estimate of £550; total cost: £610.19s.10d. Demolished in 1881 and (New) Cilgwyn built on the site. Drawings: Thomas Lloyd Coll. and NLW Drawing Vol. 18. [SN 312 409]

1792-95 **Ffynone** (Manordeifi, Pembs.). Villa built for Col. John Colby (d.1823) on a prominent site (Fenton, *Tour through Pembrokeshire*, pp. 495-6). Some building accounts survive in NLW (Owen & Colby MSS. 1139-1267), including bills for the stairs and marble fireplace (from William Drewitt, Bristol), the fanlights (from Underwood, Bottomley & Hamble), plasterwork by John Watkins. Corinthian capitals

Watkins, capiau Corinthiaidd i'r colofnau a ddarparwyd gan Mrs. Coade (*Coade's Gallery* [1799], t. xi). Nid yw'r cynlluniau a dyluniadau gwreiddiol wedi goroesi. Fe'i newidiwyd tua 1830 ac yn gynnar yn yr 20fed ganrif. D. L. Baker-Jones, *Trans. Hon. Soc. Cymmrodorion*, (Sesiwn 1965), tt. 115-136; R. Haslam, *Country Life*, 12 Tach. 1992. Dyluniadau mesuredig gan I. Wyn Jones (1950) a ffotograffau yn CHC. [SN 2425 3864]

1792-96 Dolaucothi (Cynwyl Gaeo, Sir Gaerfyrddin). Adeiladwyd ffrynt newydd i dŷ a'i ail-gynllunio i'r Isgapten John Johnes (1768-1815). Goroesa dogfennau yng nghasgliad Dolaucothi LlGC, gan gynnwys golygwedd i'r gweithwyr, cytundebau â'r adeiladwyr, a sawl llythyr gan Nash (cyhoeddwyd gan F. Jones, "The Hand of Nash in West Wales", *Trans. Carm. Antiq. Soc.*, xxix (1939), tt. 93-5). Newidiwyd pafiliynau Nash yn 1871. Contractwyr a chrefftwyr: David Thomas (saer maen), Thomas Thomas (saer coed), Stephen Poleti a John Hampton (plastrwyr). Dymchwelwyd y tŷ tua 1954 heblaw am res o wasanaethau (y ffermdy presennol, erbyn hyn). Eiddo'r Ymddiriedolaeth Genedlaethol. Lloyd, *Lost Houses of Wales*, t. 56; F. Jones, *Historic Carmarthenshire Homes and their Families* (1987), tt. 55-6. Cynllun (gan Donald Insall, 1954) a ffotograffau yn CHC. [SN 6648 4083]

1793-94 Yr Hafod (Llanfihangel-y-Creuddyn, Sir Aberteifi). Cytunwyd ar ychwanegiadau at yr Hafod yn 1793 er i'r ymwneud rhwng Nash a Thomas Johnes ddechrau yn gynharach (LlGC, Llsgrau. Dolaucothi 8746-8). Nid yw maint gwaith Nash yn yr Hafod yn glir, ond bu iddo (i) cynllunio'r llyfrgell wythongl a'r llysieudy hir, (ii) ailadeiladu'r gwasanaethau a leolwyd y tu ôl i'r llysieudy, a (iii) mwy na thebyg gyfrannu at bensaernïaeth y gerddi. Dengys y llun dyfrlliw o'r Hafod, a briodolir i F. Nash, newidiadau Nash ac y mae'n bosibl y dengys y peintiad o'r Hafod gan Turner (Oriel y Fns Lever) awgrym ar gyfer adeiladu pellach gan Nash. Efallai fod y rhain ymhlith y "gwahanol gynlluniau i Mr. Johnes o'r Hafod" a werthwyd ar farwolaeth Nash (lot 1011). Cynhwyswyd cynllun pellach i Mr. Johnes, pont, mae'n ymddangos, yn arwerthiant Nash (lot 1014). Priodolodd John Piper (*Architectural*

for the columns supplied by Mrs. Coade (*Coade's Gallery* [1799], p. xi). Original plans and drawings have not survived. Altered *ca.*1830 and in 1904. D.L. Baker-Jones, *Trans. Hon. Soc. Cymmrodorion*, 1965, pp. 115-136; R. Haslam, *Country Life*, 12 Nov. 1992. Measured drawings by I. Wyn Jones (1950) and photographs in the NMR. [SN 2425 3864]

1792-96 Dolaucothi (Cynwyl Gaeo, Carms.). Refronting and replanning of house for Lieutenant John Johnes (1768-1815). Documentation survives in the NLW Dolaucothi collection, including a workmen's elevation, contracts with the builders, bills and receipts, and several letters from Nash (printed by F. Jones, "The Hand of Nash in West Wales", *Trans. Carm. Antiq. Soc.*, xxix [1939], pp. 93-5). Nash's pavilions were altered in 1871. Contractors and craftsmen: David Thomas (mason), Thomas Thomas (carpenter), Stephen Poleti and John Hampton (plasterers). House demolished about 1954 apart from a service range (now the present farmhouse). Owned by the National Trust. Lloyd, *Lost Houses of Wales*, p. 56; F. Jones, *Historic Carmarthenshire Homes and their Families* (1987), pp. 55-6. Plan (by Donald Insall, 1954) and photographs in NMR. [SN 6648 4083]

1793-94 Hafod (Llanfihangel-y-Creuddyn, Cards.). Additions to Hafod House were agreed in 1793 although the association between Nash and Thomas Johnes began earlier (NLW, Dolaucothi MSS. 8746-8). The extent of Nash's work at Hafod is unclear but he (i) designed the octagonal library and long conservatory, (ii) rebuilt the offices which were sited behind the conservatory, and (iii) probably contributed to the garden architecture. The watercolour of Hafod, attributed to F. Nash, shows Nash's alterations, and the painting of Hafod by Turner (Lady Lever Art Gallery) may represent a further building proposal by Nash. Perhaps the latter was among the "different designs for Mr. Johnes of Hafod" sold at Nash's death (lot 1011). A further design for Mr. Johnes, apparently a bridge, was included in the sale (lot 1014). John Piper (*Architectural Review*, lxxxvii [1940], pp. 207-10)

Review, lxxxvii [1940], tt. 207-10) y bont grog gadwyn o'r 19eg ganrif gynnar i Nash ond yr oedd y cynllun, os adeiladwyd, yn fwy tebyg o fod ar gyfer y bont bren "othig" a ddarluniwyd gan J. G. Wood, The *Principal Rivers of Wales illustrated* (1813), tt. 164-65 a phlât. Disgrifiad cyfoes: *The Cambrian Directory* (1800), tt. 72-3; B.H.Malkin, *The Scenery, Antiquities and Biography of South Wales* (1804), tt. 349-60. Dinistriwyd y rhan fwyaf o waith Nash gan dân yn 1805. John Thomas, "The Architectural Development of Hafod: 1786-1807", *Ceredigion*, vii (1972-75), tt. 152-169; C. Kerkham, "Hafod: paradise lost", *Journal of Garden History*, 11 (1991), tt. 207-16; R. Moore-Colyer, *A Land of Pure Delight* (1992); J. Macve, *Friends of Hafod Newsletter*, 9 (1993), tt. 3-8 ac 11 (1994), tt. 3-9; Alison Kelly, *Mrs Coade's Stone* (1990), t. 426. [SN 7590 7327]

1793-96 **Stoke Edith Park** (Stoke Edith, Swydd Henffordd). Parlwr newydd i'r Anrhydeddus Edward Foley. Comisiwn diymhongar â chanlyniadau pwysig oherwydd i Foley gyflwyno Nash i Repton. Y mae llyfr y cyfrifon adeiladu, a gedwid gan John Edwards (cefnder Nash, o bosibl), wedi goroesi ac yn enwi'r crefftwyr: James Yates (saer maen); lle tân gan William Stephens; John Rawlings (saer celfi); (——) Poultney (gwaith plastr arbennig). D. Whitehead, *Trans. Woolhope Naturalists' Field Club*, xlvii (1992), tt. 221-7. Mae Whitehead yn uniaethu parlwr Nash â'r salŵn Adamaidd a ddinistriwyd gan dân yn 1927. Peter Reid, *Burke's & Savills Guide to Country Houses* (1980), ii, tt. 57-9. [SO 6045 4040]

tua 1794 **Plas Llannerch Aeron (Llanaeron [Llannerchaeron House])** (Llannerch Aeron, Sir Aberteifi). Fila i'r Uchgapten William Lewis (m. 1828). Priodoliad cyfoes i Nash yn James Baker, *Picturesque Guide* (1794), ii, t.200: "(Mae gan) yr Uchgapten Lewis … blasty twt, newydd ei godi o gynllun gan Nash". Meyrick, *History and Antiquities of the County of Cardigan*, tt. 186-7 a phlât x. Nid yw cynlluniau a chyfrifon wedi goroesi ymhlith Papurau Llanaeron (LlGC). Cymynrodd i'r Ymddiriedolaeth Genedlaethol yn 1989. LlGC, Cyf. Dyluniadau 70; ffotograffau: CHC. [SN 4793 6020]

attributed the early-19th-century chain suspension-bridge to Nash but the design, if built, was more likely for the timber "alpine" bridge depicted by J.G. Wood, *The Principal Rivers of Wales illustrated* (1813), pp. 164-65 & plate. Contemporary description: *The Cambrian Directory* (1800), pp. 72-3; B.H. Malkin, *The Scenery, Antiquities and Biography of South Wales* (1804), pp. 349-60. Nash's work was largely destroyed by fire in 1805. John Thomas, "The Architectural Development of Hafod: 1786-1807", *Ceredigion*, vii (1972-75), pp. 152-169; C. Kerkham, "Hafod: paradise lost", *Journal of Garden History*, 11 (1991), pp. 207-16; R. Moore-Colyer, *A Land of Pure Delight* (1992); J. Macve, *Friends of Hafod Newsletter*, 9 (1993), pp. 3-8, and 11 (1994), pp. 3-9; Alison Kelly, *Mrs Coade's Stone* (1990), p. 426. [SN 7590 7327]

1793-96 **Stoke Edith Park** (Stoke Edith, Herefs.). New parlour for Hon. Edward Foley. A modest commission with important consequences since Foley introduced Nash to Repton. The building account book, kept by John Edwards (perhaps Nash's cousin), survives and names the craftsmen: James Yates (mason); fireplace by William Stephens; John Rawlings (joiner); [——] Poultney (specialist plasterwork). D.Whitehead, *Trans. Woolhope Naturalists' Field Club*, xlvii (1992), pp. 221-7. Whitehead identifies Nash's parlour with the Adamesque saloon; destroyed by fire in 1927. Peter Reid, *Burke's & Savills Guide to Country Houses* (1980), ii, pp. 57-9. [SO 6045 4040]

ca.1794 **Llanaeron [Llannerchaeron House]** (Llannerchaeron, Cards.). Villa for Major William Lewis (d.1828). Contemporary attribution to Nash in James Baker's *Picturesque Guide* (1794), ii, p.200: "Major Lewis … has a neat and new erected mansion from a plan of Nash's". Meyrick, *History and Antiquities of the County of Cardigan*, pp. 186-7 & plate x. Plans and accounts have not survived in the Llanaeron papers (NLW). Bequeathed to the National Trust in 1989. NLW, Drawing Vol.70; photographs: NMR. [SN 4793 6020]

tua 1795 **Y Llysnewydd** (Llangeler, Sir Gaerfyrddin). Fila i'r Cyrnol William Lewes (1746-1828). Priodolwyd i Nash am y tro cyntaf ar sail arddull gan Summerson; nid yw'r dogfennau cyfoes wedi goresi ond mae rhestr cynnwys o 1828 yn rhestru'r ystafelloedd a'r cynnwys: *Carmarthenshire Historian*, 1967, tt. 74-80. Mae lithograff o newidiadau arfaethedig tua 1890 yn dangos y cynllun gwreiddiol (LlGC, Llsgr. y Llysnewydd 76). Ffotograffau o'r tu allan heb ei newid yn CHC. Dymchwelwyd yn 1971 (*Carm. Historian*, 1971, tt. 75-6). Lloyd, *Lost Houses*, t. 64; Jones, *Carmarthenshire Homes*, t. 123. [SN 3555 3993]

1795 **Cwrt Llangain (Kentchurch Court)** (Llangain, Swydd Henffordd). Newidiadau o faint ansicr i dŷ yn yr arddull Othig gaerog i Syr John Scudamore (m. 1796). Ymddengys i Nash ddilyn gwaith a ddechreuwyd gan Anthony Keck. Gadawyd y gwaith ar farwolaeth Scudamore, ond fe'i ailddechreuwyd yn 1825. John Cornforth, "Kentchurch Court I", *Country Life*, 15 Rhag. 1966; D. Whitehead, *Trans. Woolhope Naturalists' Field Club*, xlvii (1992), tt. 215-16. [SO 4230 2590]

1802 **Tŷ ger Conwy** (Sir Gaernarfon). Cynllun a arddangoswyd yn yr Academi Frenhinol: *The Royal Academy of Arts*, v (1906), t. 342. Ymddengys yn debygol bod y cynllun ar gyfer encilfa haf Syr George a'r Fonesig Beaumont yn y Bennarth ar aber Conwy, neu i'w gymydog, Mr Griffith. Gweler Uvedale Price at Beaumont, 12 Chwefror 1802: "Beth mae Mr Griffith yn bwriadu ei wneud am dŷ? 'Roeddwn yn hollol sicr na allai adeiladu y naill na'r llall gan Nash am unrhywbeth tebyg i'r swm y meddyliai am ei wario" (Papurau Coleorton, Llyfrgell Pierpont Morgan, MA 1581 (Price) 31; F. Owen a D. B. Brown, *Collector of Genius* [1988], t. 106). [SH 78 76]

1805 **Cwrt Tre'rdelyn (Harpton Court)** (Pencraig, Sir Faesyfed). Rhoddwyd wyneb newydd i'r tŷ a'i ailgynllunio gyda gwasanaethau newydd Gothig ar wahân. Trafodwyd newidiadau arfaethedig mewn llythyr gan Thomas Frankland Lewis at Nash (LlGC, Llsgr. Harpton Court CC/625). Mae "cynlluniau ar gyfer porth llidiard yn Hampton

ca.1795 **Llysnewydd** (Llangeler, Carms.). Villa for Col. William Lewes (1746-1828). First attributed to Nash on stylistic grounds by Summerson; contemporary documentation does not survive but 1828 inventory lists rooms and contents: *Carmarthenshire Historian*, 1967, pp. 74-80. Lithograph of proposed alterations *ca*.1890 shows original plan (NLW, Llysnewydd MS. 76). Photographs of unaltered exterior in NMR. Demolished in 1971 (*Carm. Historian*, 1971, pp. 75-6). Lloyd, *Lost Houses*, p. 64; Jones, *Carmarthenshire Homes*, p.123. [SN 3555 3993]

1795 **Kentchurch Court** (Kentchurch, Herefs.). Alterations of uncertain extent to house in castellated Gothic style for Sir John Scudamore (d. 1796). Nash seems to have been following work begun by Anthony Keck. Work was abandoned with Scudamore's death but resumed in 1825. John Cornforth, "Kentchurch Court I", *Country Life*, 15 Dec. 1966; D. Whitehead, *Trans. Woolhope Naturalists' Field Club*, xlvii (1992), pp. 215-16. [SO 4230 2590]

1802 **House near Conway** (Caernarvonshire). Design exhibited at the Royal Academy: *The Royal Academy of Arts*, v (1906), p. 342. It seems likely that the design was for Sir George and Lady Beaumont's summer retreat at Bennarth, on the Conwy estuary, or for their neighbour, Mr. Griffith. Cf. Uvedale Price to Beaumont, 12 Feb. 1802: "What does Mr. Griffith mean to do about a house? I was quite sure he could not build either of Nash's for anything like the sum he had thought of laying out" (PML, Coleorton Papers, MA 1581 (Price) 31; F. Owen and D.B. Brown, *Collector of Genius* [1988], p. 106). [SH 78 76]

1805 **Harpton Court** (Old Radnor, Rads.) House refaced and replanned with new detached Gothic offices. Proposed alterations discussed in a letter from Thomas Frankland Lewis to Nash (NLW, Harpton Court MS. CC/625). "Designs for a gate at Hampton Court [*sic*], Radnorshire", included in Nash's sale (lot 1014), are now lost. Brewhouse and

Court [sic], Sir Faesyfed" a gynhwyswyd yn arwerthiant Nash (lot 114) erbyn hyn ar goll. Cynlluniau bracty a golchdy yn llyfr nodiadau G. S. Repton (RIBA, Casgliad Dyluniadau L1/2, ff. 49ᵛ-50ᵛ). Dymchwelwyd yn 1956 heblaw am yr ystafelloedd gwasanaeth. Haslam, *Powys*, tt. 261-62; Lloyd, *Lost Houses of Wales*, t. 46; Mansbridge, *Catalogue*, t. 122. [SO 2350 5983]

1807 Castell Penarlâg (Hawarden Castle) (Penarlâg, Sir Fflint). Rhoddwyd gwedd gaerog ar dŷ eisoes yn bod a'i ymestyn i Syr Stephen Glynne (m. 1815). Goroesa manyleb Nash (LlGC, Llsgr. Glynne of Hawarden 5440), gydag amcangyfrif o £8065. 3s. 0d. ynghyd â dau lun dyfrliw yn dangos y golygweddau arfaethedig. Gwnaethpwyd y gwaith wedyn gan Thomas Cundy, â rhywfaint o newid ar y cynllun gwreiddiol. J. Cornforth, "Hawarden Castle, Flintshire", *Country Life*, 15, 22 a 29 Mehefin 1967; Hubbard, *Clwyd* (1986), tt. 362-4. [SJ 3217 6544]

1814 Nanteos (Llanbadarn-y-Creuddyn, Sir Aberteifi). Ailgynllunio'r tŷ a chynlluniau ar gyfer dau luesty, tŷ garddwr, a llaethdy (LlGC, Dyluniadau Nanteos 123-36); nis gweithredwyd erioed. Nigel Temple, "John Nash: some minor buildings in Wales", *Transactions of the Honourable Society of Cymmrodorion*, 1985, tt. 231-54. [SN 6202 7863]

1814-18 Rheola (Resolfen, Sir Forgannwg). Tŷ i John Edwards (m. 1833), ynghyd â **Thŷ Stiward** (bellach "Brynawel") a **Neuadd yr Hen Lanciau** (yn adfail). Cynlluniau ar gyfer tŷ fferm (y mae'n debyg nas adeiladwyd erioed a thŷ stiward yn *George Repton's Pavilion Notebook*, gol. Nigel Temple (1993), PNB 20-21, 116-19. Mae Dyluniad Nanteos 125 yn debyg iawn i Neuadd yr Hen Lanciau (N. Temple, *Trans. Hon. Soc. of Cymmrodorion*, 1985, tt. 252-3). Elis Jenkins, "Rheola", *Neath Antiquarian Society Transactions*, 1978, tt. 61-68, platiau 11-12. Dyluniadau cyfoes gan Thomas Horner mewn cyfres o albwmau "Illustrations of the Vale of Neath", disgrifiwyd gan Elis Jenkins, *Glamorgan Historian*, 7, (1971) tt. 37-50; LlGC, Cyf. Dyluniadau 23. [SN 8385 0422; SN 8444 0453; SN 8385 0434]

laundry plans in G.S. Repton's notebook (RIBA, Drawings Collection L1/2, ff.49ᵛ-50ʳ). Demolished 1956 apart from service range. Haslam, *Powys*, pp. 261-62; Lloyd, *Lost Houses of Wales*, p. 46; Mansbridge, *Catalogue*, p. 122. [SO 2350 5983]

1807 Hawarden Castle (Hawarden, Flints). Castellation and enlargement of existing house for Sir Stephen Glynne (d. 1815). Nash's specification survives (NLW, Glynne of Hawarden MS. 5440), with an estimate of £8065.3s.0d., along with two watercolours showing the proposed elevations. Work subsequently carried out, with some departure from the original design, by Thomas Cundy. J. Cornforth, "Hawarden Castle, Flintshire", *Country Life*, 15, 22 & 29 June 1967; Hubbard, *Clwyd* (1986), pp. 362-4. [SJ 3217 6544]

1814 Nanteos (Llanbadarn-y-Creuddyn, Cards.). Replanning of the house and designs for two lodges, a gardener's house, and dairy (NLW, Nanteos Drawings 123-36); never executed. Nigel Temple, "John Nash: some minor buildings in Wales", *Transactions of the Honourable Society of Cymmrodorion*, 1985, pp. 231-54. [SN 6202 7863]

1814-18 Rheola (Resolven, Glam.). House for John Edwards (d. 1833), with **Steward's House** (now "Brynawel") and **Bachelors' Hall** (ruined). Designs for a farmhouse (probably never built) and steward's house in *George Repton's Pavilion Notebook*, ed. Nigel Temple (1993), PNB 20-21, 116-19. Nanteos Drawing 125 greatly resembles Bachelors' Hall (N.Temple, *Trans. Hon. Soc. of Cymmrodorian*, 1985, pp. 252-3). Elis Jenkins, "Rheola", *Neath Antiquarian Society Transactions*, 1978, pp. 61-68, plates 11-12. Contemporary drawings by Thomas Horner in a series of albums, "Illustrations of the Vale of Neath", described by Elis Jenkins, *Glamorgan Historian*, 7 (1971), pp. 37-50; NLW, Drawing Vol. 23. [SN 8385 0422; SN 8444 0453; SN 8385 0434]

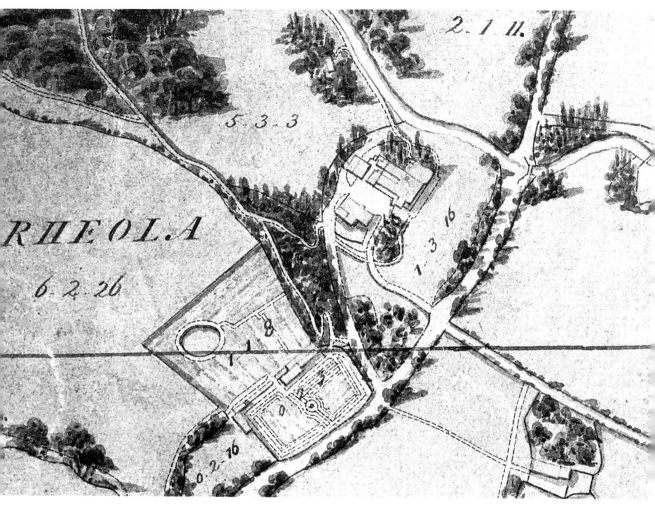

Ffig. 66 Rheola: tŷ a gardd o fap ystâd Horner, 1814.
Fig. 66   Rheola: house and garden from Horner's estate map, 1815.

SAFLEOEDD ANSICR A GWRTHODEDIG

Aberaeron (Sir Aberteifi). T. Davis, *John Nash* (1966), t. 31; J. Hilling, *The Historic Architecture of Wales* (1976), tt. 150-51. Hawlia traddodiad lleol i gynllun y dref harbwr hon o'r 19eg ganrif gynnar gael ei fraslunio gan Nash i Alban Gwynne o Dŷ-glyn a Mynachty (gw.) a oedd wedi sicrhau'r ddeddf harbwr 1807. Fodd bynnag, mae'n fwy tebyg mai Edward Haycock a fu'n ymwneud â'r cynllun (gweler H. V. Phythian-Adams, *Ceredigion,* viii (1979), tt. 404-7). [SN 45 62]

UNCERTAIN AND REJECTED SITES

Aberaeron (Cards.).T. Davis, *John Nash* (1966), p. 31; J. Hilling, *The Historic Architecture of Wales* (1976), pp. 150-51. A local tradition claims that the plan of this early-19th-century harbour town was sketched out by Nash for Alban Gwynne of Tŷ-glyn and Monachty (q.v.) who had obtained the 1807 Harbour Act. The involvement of Edward Haycock is, however, more likely (cf. H.V. Phythian-Adams, *Ceredigion*, viii [1979], pp. 404-7). [SN 45 62]

Abermydyr (Llannerch Aeron, Sir Aberteifi). Mansbridge, *Catalogue*, t. 29. Bwthyn dynwaredol pictiwrésg ar ystâd Llannerch Aeron; tua 1820-30, mae'n debyg. [SN 4752 6042]

Briwnant (Brunant) (Cynwyl Gaeo, Sir Gaerfyrddin). "Heb ei brofi" yw hwn yn hytrach na gwrthodedig. Yn sicr adwaenai Nash John Lloyd, Briwnant, a ailadeiladodd y tŷ yn hwyr yn y 18fed ganrif neu'n gynnar yn y 19eg, a chiniawodd yno tra'n ymweld â Dolaucothi (LlGC, Llsgr. Dolaucothi 8746-7). Adeiladwyd ffrynt newydd i'r tŷ blaenorol ac adeiladwyd grisiau deu-wrthdro mawreddog gyda cholofnau ffliwtiog o'r naill du. (Francis Jones, *Carmarthenshire Homes*, t. 15). Yn anffodus y mae'r tŷ wedi'i newid yn sylweddol a'r grisiau wedi'u tynnu ymaith. [SN 6710 4153]

Caerfyrddin. Priodolwyd i Nash nifer o adeiladau annhebygol yn y dref gan W. Spurrell, *Carmarthen* (1860), t. 22: "Adeiladwyd bwthyn bach (a ddymchwelwyd yn 1858) yn Lôn yr Iard Frics ger y Gwaith Nwy, gan Nash. Efe hefyd adeiladodd y tŷ yn **Gerddi Gwyrddion (Green Gardens)** [bellach **Nolton House**], lle bu'n byw; a'r **Six Bells** ger Eglwys Pedr Sant, yr anghofiodd y grisiau yn ei gynllun (!)". Ychwanega Mansbridge, *Catalogue*, t. 38, **Westy Jeremy**. Ni ellir ystyried Nash fel pensaer yr adeiladau di-sylw hyn, er y gallai, wrth gwrs, fod â rhyw gysylltiad arall â hwy. Awgryma Edna Dale-Jones, *Carmarthen Antiquary*, xxvii (1992), tt. 117-19, y gallai Nash fod wedi talu trethi am **Gerddi Gwyrddion**. [SN 41 20]

Castell Cleidda (Llanarth Fawr, Sir Fynwy). Y mae'n glir o gyfrifon stad Plas Cleidda (Archifdy Gwent, Llsgr. D43/2114) fod y llygad-dynnwr Gothig hwn, a adeiladwyd gan William Jones fel cofeb i'w wraig, ac a briodolir yn aml i Nash, yn waith John Davenport tua 1790. J. Abel Smith, "John Davenport and the Design of Clytha Castle", *The Georgian Group Journal*, 1994, tt. 81-83. [SO 3638 0838]

Downton Castle (Leintwardine, Swydd Henffordd.). Mae ymwneud cynnar Nash â chastell pictiwresg Payne Knight's wedi cael ei awgrymu

Abermydyr (Llannerchaeron, Cards.). Mansbridge, *Catalogue*, p. 29. A derivative picturesque cottage on the Llanaeron estate; probably *ca.*1820-30. [SN 4752 6042]

Brunant [Briwnant] (Cynwyl Gaeo, Carms.). This is "not proven" rather than rejected. Nash certainly knew John Lloyd of Brunant, who rebuilt the house in the late 18th or early 19th century, and dined there while visiting Dolaucothi (NLW, Dolaucothi MS. 8746-7). The earlier house was refronted and given a grand double-return stair flanked by fluted columns (Francis Jones, *Carmarthenshire Homes*, p. 15). Unfortunately, the house has been greatly altered and the stairs removed. [SN 6710 4153]

Carmarthen. Various unlikely buildings in the town were attributed to Nash by W. Spurrell, *Carmarthen* (1860), p. 22: "A little cottage (demolished 1858) in the Brickyard Lane, near the Gas Work, was built by Nash. He also built the house at **Green Gardens** [now **Nolton House**], where he resided; and the **Six Bells,** near St. Peter's Church, in the plan of which he forgot the staircase (!)". Mansbridge, *Catalogue*, p. 38, adds **Jeremy's Hotel.** Nash cannot be regarded as the architect of these rather undistinguished buildings although he may of course have had some other connection with them. Edna Dale-Jones, *Carmarthen Antiquary*, xxvii (1992), pp. 117-19, suggests that Nash may have been rated for Green Gardens. [SN 41 20]

Clytha Castle (Llanarth Fawr, Mon.). It is clear from Clytha House estate accounts (Gwent R.O., MS. D43/2114) that this Gothic eye-catcher, built by William Jones as a memorial to his wife, and often attributed to Nash, is the work of John Davenport, *ca.*1790. Julia Abel Smith, "John Davenport and the Design of Clytha Castle", *The Georgian Group Journal* (1994), pp. 81-83. [SO 3638 0838]

Downton Castle (Leintwardine, Herefs.). The early involvement of Nash at Payne Knight's picturesque castle has been suggested by A. Rowan, "Downton

gan A. Rowan, "Downton Castle, Herefordshire", *The Country Seat*, gol. H. Colvin and J. Harris (1970), tt. 170-3. [SO 4450 7475]

Lluesty Colby (Colby Lodge) [Rhydlangoeg gynt] (Amroth, Sir Benfro). Ailadeiladwyd ar ôl i Nash adael de-orllewin Cymru, tua 1802 (LlGC, Llsgr. Owen a Colby 2337) ac fe'i newidiwyd yn sylweddol wedyn; Yn ôl copi'r tŷ o *John Nash* (1935) gan Summerson (LlGC, CT788 N251 S955) mae'r dyddiad 1825, a ysgrifennwyd mewn sialc ar gwpl to, wedi'i guddio dan greosot. [SN 1573 0807]

Y Gelli (Trefilan, Sir Aberteifi). Mansbridge, *Catalogue*, tt. 312-3. Nid oes dim o fanylder Nash i ffrynt Sioraidd y tŷ hwn a'r lluesty gwladaidd wythochrog gerllaw. [SN 5464 5735]

Y Gelli Aur (Golden Grove) (Llanfihangel Aberbythych, Sir Gaerfyrddin). Ansicr. Goroesa golygwedd "i'r gwasanaethau yn y Gelli Aur ... gyda mesuriadau ar gyfer y gweithwyr" (Archifdy Dyfed, Cawdor 31). Dyluniwyd ar y papur garw a ddefnyddiai Nash ar gyfer golygwedd y gweithwyr yn Nolaucothi, er nad efe sydd wedi ysgrifennu ar ei gefn. Cynhwysai'r rhesaid gluniog, ac iddi dri bae ar ddeg, arcediad ar y llawr isaf, gyda chwrs llinyn islaw ffenestri pedeironglog y llawr cyntaf, ac yr oedd iddi bortico talfaog gyda chwpola. Mae'r olygwedd yn gyson â gwaith cynnar hysbys Nash, ar wahân i benaddurnau paterae a pheli'r portico, ond defnyddiwyd y nodweddion hyn gan Syr Robert Taylor. (Gwybodaeth gan Thomas Lloyd.) [SN 596 191]

Gwesty'r Hafod (Hafod Arms) (Llanfihangel-y-Creuddyn, Sir Aberteifi). Nododd C. R. Cockerell yn 1806: "Mae ategau ffenestr yn y dafarn ym Mhontarfynach yn eitha da, gan Nash, debyg iawn" (RIBA, Llsgr. Coc/9/1). Adeiladwyd y dafarn gan Thomas Johnes yn 1803-4, ar ôl i Nash adael Cymru; a'i hailadeiladu tua 1840 (o wybodaeth gan Caroline Kerkham; *Ceredigion*, vii (1972-75), t. 222). [SN 7408 7705]

Hermon's Hill House (Hwlffordd, Sir Benfro). Mansbridge, *Catalogue*, t. 53. Nid yw'r priodoliad i

Castle, Herefordshire", *The Country Seat*, ed. H. Colvin and J. Harris (1970), pp. 170-3. [SO 4450 7475]

Colby Lodge [earlier **Rhydlangoeg**] (Amroth, Pembs.). Rebuilt after Nash had left south-west Wales, *ca*.1802 (NLW, Owen & Colby MS. 2337) and substantially altered subsequently; a chalked date of 1825 on a roof-truss has been creosoted over according to a note in the house copy of Summerson's *John Nash* (1935) (NLW, CT788 N251 S955). [SN 1573 0807]

Gelli (Trefilan, Cards.). Mansbridge, *Catalogue*, pp. 312-3. The Georgian front of this house and the adjacent octagonal rustic lodge lack Nash's detailing. [SN 5464 5735]

Golden Grove (Llanfihangel Aberbythych, Carms.). Uncertain. An elevation "for the offices at Golden Grove... figur'd for the workmen" survives (Dyfed R.O., Cawdor 31). It is drawn on the coarse paper that Nash used for the workmen's elevation at Dolaucothi, although the endorsements are not his. The 13-bay hipped range incorporated arcading on the ground floor with a string-course below the rectangular first-floor windows and had a pedimented portico with cupola. The elevation is consistent with Nash's known early work apart from the decorative paterae and ball finials of the portico, but these features, it may be noted, were used by Sir Robert Taylor. (Information from Thomas Lloyd.) [SN 596 191]

Hafod Arms (Llanfihangel-y-Creuddyn, Cards.). C.R. Cockerell noted in 1806: "The supports of a window at the inn at Devil's Bridge are rather good, most probably Nash's" (RIBA, MS. Coc/9/1). The inn was built by Thomas Johnes, 1803-4, after Nash had left Wales, and rebuilt *ca*.1840 (ex inf. Caroline Kerkham; *Ceredigion*, vii [1972-75], p. 222). [SN 7408 7705]

Hermon's Hill House (Haverfordwest, Pembs.). Mansbridge, *Catalogue*, p. 53. The attribution to Nash

Nash yn darbwyllo'n bensaernïol. Mae'n fwy na thebyg yr adeiladwyd ffrynt newydd gan William Owen (o wybodaeth gan Thomas Lloyd).
[SM 9540 1555]

Mynachty (Llanbadarn Trefeglwys, Sir Aberteifi). T. Davis, *John Nash*, t. 31. Tŷ neo-glasurol o'r 19eg ganrif gynnar a oedd yn eiddo i'r Gwynniaid, datblygwyr Aberaeron; nid oes iddo elfennau arbenigol cynllunio Nash. [SN 5044 6200]

Yr Ysgoldy, Aberteifi. Ansicr. Ychwanega'r hysbyseb yn yr *Hereford Journal*, 6 Ebrill 1791, am ymgymerwyr ar gyfer Carchardy Aberteifi fod ysgoldy'r dref i'w ailadeiladu a gosodir y cytundeb ar yr un pryd â'r carchardy; cynlluniau a manylion y carchardy a'r ysgoldy gyda Mr. William Lewis yn Aberteifi. [SN 17 46]

Marchnad Abertawe (Sir Forgannwg).Dyluniad o 1824 gan C. R. Cockerell â'r nodyn "'Rwy'n amau i Nash fod â rhan yn hon" (John Harris, "C. R. Cockerell's 'Ichnographica Domestica'", *Architectural History*, 14 [1971], t. 26 a phlât 20b). Tebyg o fod yn gynharach na Nash, tua 1780. [SS 656 930]

Treforgan (Llangoedmor, Sir Aberteifi). Tŷ a ysbrydolwyd gan Nash ac sydd yn atgoffa rhywun o Lannerch Aeron, tua 1815. [SN 2013 4606]

is architecturally unconvincing. Probably refronted by William Owen (ex inf. Thomas Lloyd).
[SM 9540 1555]

Monachty (Llanbadarn Trefeglwys, Cards.). T. Davis, *John Nash*, p. 31. An early-19th-century neo-classical house owned by the Gwynnes, developers of Aberaeron; it lacks the distinctive elements of Nash's planning. [SN 5044 6200]

School-house, Cardigan. Uncertain. The advertisement in the *Hereford Journal*, 6 April 1791, for contractors for Cardigan Gaol adds that the school-house in the town is to be rebuilt and will be contracted for at the same time as the gaol; plans and particulars of gaol and school-house with Mr. William Lewis at Cardigan. [SN 17 46]

Swansea Market (Glam.). 1824 drawing by C.R. Cockerell with the note: "I suspect Nash had a hand in this" (John Harris, "C.R. Cockerell's `Ichnographica Domestica'", *Architectural History*, 14 [1971], p. 26 & plate 20b). Probably pre-Nash, *ca*.1780. [SS 656 930]

Treforgan (Llangoedmore, Cards.). A Nash-inspired house reminiscent of Llanaeron, *ca*.1815.
[SN 2013 4606]

RHESTR O DDARLUNIAU A'U FFYNONELLAU
LIST AND SOURCES OF ILLUSTRATIONS

Sylwer: Perthyn hawlfraint dyluniadau a ffotograffau Comisiwn Brenhinol Henebion Cymru i'r Goron.

Clawr blaen: John Nash: manddarlun gan arlunydd anhysbys, 1798. Gyda chaniatâd caredig Mr. Peter Laing. (Ffotograff: Ian Sherfield.)

Clawr ôl: Llaethdy Nanteos (Ffig. 51a).

Tudalen gynnwys: Penddelw Nash, Eglwys All Souls', Langham Place, Llundain.

I. *Agoriad: Nash a Chaerfyrddin*

1   Caerfyrddin yn 1786. Arolwg o eiddo John Vaughan, y Gelli Aur, gan T. Lewis (Yr Iarlles Angelika Cawdor; Archifdy Caerfyrddin, Map Cawdor 219).

2   Stryd Spilman, Caerfyrddin. Dyluniad anorffenedig gan A. C. Pugin, 1804 (LlGC, Carms. B., PE 3753).

II. *Adeiladau Cyhoeddus*

3   Eglwys Gadeiriol Tyddewi: cynllun Nash ar gyfer y ffrynt gorllewinol, tua 1791 (Llyfrgell Gyhoeddus Hwlffordd; CHC 890311/12).

4   Golygfa o Eglwys Gadeiriol Tyddewi. Llun dyfrlliw, tua 1794 (Llyfrgell Gyhoeddus Hwlffordd; CHC 890310/17).

5   Carchardy Caerfyrddin: ail-luniad o gynllun (dyluniad CBHC yn seiliedig ar Archifdy Caerf., Mus. 5027).

6   Carchardy Caerfyrddin: dyluniad pensil gan C. R. Cockerell, 1804 (y Llyfrgell Bensaernïol Brydeinig, RIBA, Llundain, Llsgr. Coc/9/1).

Front cover: John Nash: miniature by an unknown artist, 1798. By kind permission of Mr. Peter Laing. (Photograph: Ian Sherfield.)

Back cover: Nanteos Dairy (Fig. 50a).

Contents page: Bust of Nash, All Souls' Church, Langham Place, London.

I. *Entrance: Nash and Carmarthen*

1   Carmarthen in 1786. Survey of the property of John Vaughan of Golden Grove by T. Lewis (Countess Angelika Cawdor; Carm. R.O., Cawdor Maps 219).

2   Spilman Street, Carmarthen. Unfinished drawing by A. C. Pugin, 1804 (NLW, Carms. B., PE 3753).

II. *Public Buildings*

3   St. Davids Cathedral: Nash's design for the west front, *ca.* 1791 (Haverfordwest Public Library; NMR 890311/12).

4   View of St. Davids Cathedral. Watercolour, *ca.* 1794 (Haverfordwest Public Library; NMR 890310/17).

5   Carmarthen Gaol: reconstructed plan (RCAHM drawing based on Carm. R.O., Mus. 5027).

6   Carmarthen Gaol: pencil drawing by C. R. Cockerell, 1804 (The British Architectural Library, RIBA, London, MS. Coc/9/1).

7 Carchardy Caerfyrddin: ffotograff, tua 1935 (CBHC; CHC R42/1501).

8 Carchardy Henffordd: ail-luniad o gynllun (CBHC yn ôl Archifdy Henffordd a Chaerwrangon, BE 10/1-5).

9 Carchardy Henffordd: y fynedfa. W. J. Rees, *The Hereford Guide* (1827), plât yn wynebu t. 61.

10 Carchardy Aberteifi: ffotograff, tua 1870 (Donald Davies; CHC 900137/28a; 900137/34a).

11 Aberystwyth: pont bren. Dyluniad gan T. Rowlandson, 1797 (LlGC, PD 9384).

12 Aberystwyth: pont faen. Llun dyfrlliw o Gwm Rheidol gan H. Gastineau, tua 1825 (LlGC, PE 4524).

13 Pont Casnewydd: dyluniad o fwa coed arfaethedig, 1791 (Archifdy Gwent, Q/CB/0001/1).

III.   *Y Filâu*

14 Glanwysg. "Glanwysg Ganol, Sir Frycheiniog, gynt yn eiddo i'r Llyngesydd Gell". Llun dyfrlliw gan J. Crane, tua 1810 (Oriel Gelf Ontario, Toronto, rhif derbyn 84/804).

15 "Golygwedd i'r gweithwyr ar gyfer Tŷ Capten Johnes yn Nolaucothi" gan John Nash, 1792. Inc ar bapur bras (525 x 330) (LlGC, Bocs Gregynog 96).

16 Dolaucothi: dyluniad pensil o ffasâd, tua 1850 (LlGC, Bocs Gregynog 96).

17 Cwrt Whitson: cynllun a golygwedd (Dyluniadau CBHC).

18 Tŷ Sion: engrafiad, tua 1850 (Amgueddfa Dinbych-y-pysgod; CHC, 9400382/4).

---

7 Carmarthen Gaol: photograph, *ca.* 1935 (RCAHM; NMR R42/1501).

8 Hereford Gaol: reconstructed plan (RCAHM after Hereford & Worcester R.O., BE 10/1-5).

9 Hereford Gaol: entrance. W. J. Rees, *The Hereford Guide* (1827), plate facing p. 61.

10 Cardigan Gaol: photograph, *ca.* 1870 (Donald Davies; NMR 900137/28a; 900137/34a).

11 Aberystwyth: timber bridge. Drawing by T. Rowlandson, 1797 (NLW, PD 9384).

12 Aberystwyth: masonry bridge. Watercolour of the Vale of Rheidol by H. Gastineau, *ca.* 1825 (NLW, PE 4524).

13 Newport Bridge: drawing of proposed centering, 1791 (Gwent R.O., Q/CB/0001/1).

III.   *The Villas*

14 Llanwysc. "Middle Glanusk, Brecknock, late Admiral Gell's". Watercolour by J. Crane, *ca.* 1810 (Art Gallery of Ontario, Toronto, acc. 84/804).

15 "Workman's Elevation for Captain Johnes' House at Dolecothy" by John Nash, 1792. Ink on coarse paper (525 x 330) (NLW, Gregynog Box 96).

16 Dolaucothi: pencil drawing of facade, *ca.* 1850 (NLW, Gregynog Box 96).

17 Whitson Court: plan and elevation (RCAHM drawings).

18 Sion House: engraving, *ca.* 1850 (Tenby Museum; NMR, 9400382/4).

19 Filâu cynharaf Nash (dyluniad CBHC).

20 Foley House: golygweddau, tua 1940 (ffotograffau CBHC; CHC PE0167-9).

21 Tŷ'r Priordy: "Golygfa o'r Priordy &c. yn Aberteifi o'r Dwyrain, Mehefin 4ydd 1793". Dyluniad gan R. Colt Hoare (LlGC, R. Colt Hoare, D 153).

22 Filâu diweddaraf Nash (dyluniad CBHC)

23a-b Y Llysnewydd: golygweddau, tua 1890 (a: T. Lloyd; CHC 871504/3; b: Wyn Jones; CHC 9400382/6).

24 Plas Llannerch Aeron: golygweddau, 1994 (ffotograffau CBHC; CHC 9400272, 9400274).

25 Tu mewn: ystafell fwyta Bwlch y Clawdd (ffotograff CBHC; CHC 9400322/1).

26 Tu mewn: ystafell ymwisgo Plas Llannerch Aeron (ffotograff CBHC; CHC 9400197/4).

27 Tu mewn: ystafell fore Glanwysg (dyluniad CBHC).

28 Tu mewn: llyfrgell y Llysnewydd (dyluniad CBHC yn ôl ffotograffau gan Wyn Jones).

29 Cynlluniau bloc (a) Plas Llannerch Aeron a (b) y Llysnewydd, tua 1900 (dyluniadau CBHC; 29b yn ôl lithograff yn LlGC, Llsgr. y Llysnewydd 76).

30 Plas Llannerch Aeron: cwrt y gegin, 1994 (ffotograff CBHC; CHC 9400274/1).

31 Grisiau'r gweision, Foley House (ffotograff CBHC; CHC 9500065/4).

32-34 Ffotograffau o brif risiau a dynnwyd yn 1994-95: (32a-b) Cwrt Whitson (CBHC; CHC 9500023/4 a 9500023/1); (33) Plas Llannerch Aeron (CBHC; CHC 9400198/1 a 9400198/4); (34) Glanwysg CBHC; CHC 9400360/1).

19 Nash's earlier villas (RCAHM drawing).

20 Foley House: elevations, *ca*. 1940 (RCAHM photos; NMR PE0167-9).

21 Priory House: "East View of the Priory &c at Cardigan, 4th June 1793". Drawing by R. Colt Hoare (NLW, R. Colt Hoare, D 153).

22 Nash's later villas (RCAHM drawing).

23a-b Llysnewydd: elevations, *ca*. 1870 (a: T. Lloyd; NMR 871504/3; b: Wyn Jones; NMR 9400382/6).

24 Llanaeron: elevations, 1994 (RCAHM photos; NMR 9400272, 9400274).

25 Interior: Temple Druid dining-room (RCAHM photo; NMR 9400322/1).

26 Interior: Llanaeron dressing-room (RCAHM photo; NMR 9400197/4).

27 Interior: Llanwysc morning-room (RCAHM drawing).

28 Interior: Llysnewydd library (RCAHM drawing after photographs by Wyn Jones).

29 Block plans of (a) Llanaeron and (b) Llysnewydd, *ca*. 1900 (RCAHM drawings; 29b after lithograph in NLW, Llysnewydd MS. 76).

30 Llanaeron: kitchen court, 1994 (RCAHM photo; NMR 9400274/1).

31 Servants' stair, Foley House (RCAHM photo, NMR 9500065/4).

32-34 Principal stairs, photographed 1994-5: (32a-b) Whitson Court (RCAHM; NMR 9500023/4 & 9500023/1); (33) Llanaeron (RCAHM; NMR 9400198/1 & 9400198/4); (34) Llanwysc (RCAHM; NMR 9400360/1).

IV. *Adeiladau a Thirwedd*

35 Model tseini o Dŷ'r Castell. Casgliad Prifysgol Cymru Aberystwyth (ffotograff CBHC; CHC 9400).

36 "Aberystwyth yn Sir Aberteifi"; dyluniad inc, tua 1793 (LlGC, Cards B, PZ3576).

37 Tŷ'r Castell: ail-luniad (dyluniad CBHC).

38-39 Tŷ'r Castell: cynlluniau a golygweddau wedi'u hailgreu (dyluniadau CBHC yn seiliedig ar ddyluniadau Tŷ'r Castell LlGC 1-4).

40 Bwthyn Emlyn: "Llorgynllun Cyffredinol o Dŷ a Swydd-dai Mrs. Brigstock" gan John Nash, 1792; graddfa: 1 f. = 5 tr. Inc ar bapur (560 x 457) (LlGC, Dyluniad Cilgwyn 31).

41 Bwthyn Emlyn: golygwedd yr ardd, tua 1832 (LlGC, Cyf. Dyluniadau 114).

42 Bwthyn, Castellnewydd Emlyn. Cynllun ar gyfer ffrynt y fynedfa othig, 1792; golchiad inc a lliw (395 x 398). Heb ei lofnodi ond efallai'n waith A. C. Pugin (LlGC, Dyluniadau Cilgwyn 30).

43 Golygfa o'r Hafod yn dangos ychwanegiadau Nash. Llun dyfrlliw a briodolir i Frederick Nash. Drwy ganiatâd caredig Mrs. Anne Robertson. (Ffotograff: LlGC.)

44 Bwthyn Emlyn: "Bwthyn Castellnewydd Emlyn - Eiddo Mrs. Brigstock". Dyluniad gan Peter Richard Hoare, tua 1800 (Casgliad Thomas Lloyd; CHC 9500029/1).

45-46 Castell Penarlâg: lluniau dyfrlliw o gynlluniau arfaethedig Nash, 1807 (CHC 9500142/5; CHC 9500142/10).

IV. *Buildings and Landscape*

35 China model of Castle House. University of Wales Aberystwyth Collection (RCAHM photo; NMR 9400097/4).

36 "Aberistwith in Cardiganshire"; ink drawing, *ca.* 1793 (NLW, Cards B, PZ3576).

37 Castle House: reconstruction (RCAHM drawing).

38-39 Castle House: reconstruction plans and elevations (RCAHM drawings based on NLW Castle House drawings 1-4).

40 Emlyn Cottage: "General Ground Plan of Mrs. Brigstock's House and Offices" by John Nash, 1792; scale: 1in.= 5ft. Ink on paper (560 x 457) (NLW, Cilgwyn Drawing 31).

41 Emlyn Cottage: garden elevation, *ca.* 1832 (NLW, Drawing Vol. 114).

42 The Cottage, Newcastle Emlyn. Design for the gothic entrance front, 1792; ink and colour wash (395 x 398). Unsigned, but perhaps by A. C. Pugin (NLW, Cilgwyn Drawings 30).

43 View of Hafod showing Nash's additions. Watercolour attributed to Frederick Nash. By kind permission of Mrs. Anne Robertson. (Photograph: NLW.)

44 Emlyn Cottage: "Newcastle Emlyn Cottage - Mrs Brigstock's". Drawing by Peter Richard Hoare, *ca.* 1800 (Thomas Lloyd Coll.; NMR 9500029/1).

45-46 Hawarden Castle: watercolours of Nash's proposed designs, 1807 (NMR 9500142/5; NMR 9500142/10).